Breier, Edua

Das Buch von den Wienern

Breier, Eduard

Das Buch von den Wienern

Inktank publishing, 2018

www.inktank-publishing.com

ISBN/EAN: 9783747790373

Das

Buch von den Wienern.

Historischer Roman

von

Eduard Breier.

Dritter Band.

Leipzig,
C. F. Steinacker.
1846.

Fünfte Abtheilung.

Erstes Capitel.

Wir treten aus dem Neunkirchner-Thore der Wiener Neustadt.

Eine Wintergegend, einzig in ihrer Art, entfaltet sich vor unseren Blicken. Der Weg führt längs der Mauer des riesigen Thiergartens dahin; am Ende derselben biegt ein Pfad links ein, diesen wollen wir betreten, und unsere Wanderung gegen die Leitha-Anhöhen fortsetzen.

Bleich, wie eine erschrockene Jungfrau, liegt die Flur da, der Nordwind pfeift, und ein Zittern scheint ihre Glieder zu bewegen. Warum so furchtsam, mein süßes Kind? Warum so ohnmächtig vor dem Grimm des Gastes? — Reiß dich auf aus dem eisigen Schreck, ström' aus den duftigen Odem, laß rinnen wieder die frischen Aderquellen, schlage auf deine Blumenaugen, und laß lustig flattern in den Winden das schattendunkle Zweigenhaar! — Reiß dich auf, mein süßes Mädchen! Es ist nicht gut, daß du dich dem

1 *

Sieger so widerstandslos hingiebst; selbst im Unterliegen ziemt noch der Kampf! — Es ist vergebens!
Diamantenbande fesseln deinen Leib, ich höre dich
seufzen, stöhnen, ächzen; ich sehe, wie du dich krümmst
und windest, wie du abwälzen willst die Riesenwucht
des Siegers; allein er ist zu mächtig, sein Hauch
umnebelt deine Sinne, sein Kuß macht erstarren dein
Blut, seine Umarmung wirft dich ohnmächtig dahin.
Und wie die Spinne, wenn sie eine Fliege in ihren
Schlingen erhascht, und ihr das weiße Blut aus dem
Leibe gesogen, die Reste des gefallenen Opfers in ge-
schäftiger Eile mit ihrem Gewebe umhüllt, als wollte
sie den Augen der Andern ihre Gräuelthat verbergen,
gerade so, mein armes Mädchen, hat auch dein Sieger dich mit dem bleichen Flockentuch bedeckt, damit
ja Niemand deine süße Ohnmacht belausche, damit
ja Niemand das Opfer seiner Gier bedaure!

Doch die Stunde hat noch nicht geschlagen, die
Ohnmacht ist noch nicht geschwunden, es ist noch immer Winter, die Flur bleibt todt, wie sie war. Das
große Steinfeld mit seinen Dörfern und Schlössern
lagert öde im weiten Kreise, die Ebene streift bis gegen Wien, und wird von jener Höhenkette einge-
rahmt, welche sich bis zum greisen Schneeberge
erstreckt, und sich an den Riesen wie an einen mächtigen Schutzherrn lehnt.

In der Mitte der genannten Felder erhebt sich
die Neustadt, der Aufenthalt Kaiser Friedrich des
Vierten, den er nach der aufgehobenen Belagerung
der Wiener Burg bezogen. Aber unser Weg führt
aus derselben gegen das sogenannte Leithagebirge,
wo auf einem felsigen, unfruchtbaren Hügel, oder
einer Felsenschlucht, eine Veste steht, welche frei und
ungehindert in die Ebene hinabstarrt auf die nahe
liegende Neustadt, links nach den Nachbarschwestern
Pitten und Sebenstein, geradeaus in die Gegend von Urschendorf, rechts gegen Wien, Baden und die nahen, uralten Steinbrüche bei
Wöllmsdorf oberhalb des Höllthurmes.

Diese Burg ist Eichbüchl.

Selbst in ihrer Blüthenzeit, welche vielleicht schon
in die Epoche der Babenberger fällt, konnte diese
Burg auf Haltbarkeit und Festigkeit keinen Anspruch
gemacht haben; um so weniger jetzt, wo der bereits
begonnene Gebrauch von Pulvergeschützen viel stärkere
Mauern als die des schon halbverwitterten Eichbüchls
unsicher machte. In der obigen Behauptung werden
wir auch noch durch den Umstand bestärkt, daß in
keiner Geschichte von dieser Burg Erwähnung geschieht,
daß man noch jetzt nicht weiß, ob sie in den Tagen
der Vorzeit eine Rolle gespielt, ob sie durch die Tür-
ken oder die Ungarn verwüstet worden? — Und so

liegt denn noch heute diese Ruine da, wie ein ver-
witterter Todtenschädel auf uralter Leichenstätte; wir
wissen nicht, wie dieser Kopf gelebt, wir wissen nicht,
was er gedacht und gethan hat, wir kennen den
nicht, dem er angehört, wir wissen nur, daß er ein
Mensch gewesen! —

Zur Zeit unseres Gemäldes hatte Eichbüchl
von außen und innen das verwahrloste Ansehen jener Schlösser, deren Besitzer, wie es damals zu geschehen begann, von den einsamen Höhen in die auf-
blühenden Städte hinabstiegen, dort den letzten Fetzen
ihres ritterlichen Purpurs abstreiften, und während
dem ihre Bergvesten den Vögten anvertrauten, welche,
den eigenen Säckel mehr als des Herrn Gut im
Auge, die früheren Prachthallen dem Staube und
den Spinnen preisgaben, das Gemäuer verschwärzen
und verfallen ließen, und so den Grund zu künftigen
Ruinen legten.

Auch bei Eichbüchl war dies der Fall. Seit
mehreren Jahren zählten es die Ellerbache, welche
dasselbe pfandweise auf ein Anlehen zur zeitweiligen
Nutzschöpfung erhielten, gewissermaßen zu ihrem Ei-
genthume. Aber Berthold von Ellerbach, als
Albrechts Anhänger, hatte sich hier in der unmittel-
baren Nähe des kaiserlichen Gegners — denn wie
bekannt, hielt sich Friedrich die größte Zeit seines

Lebens in der Neustadt auf — unheimlich gefühlt, er bezog daher sein Haus auf dem Kohlmarkte in Wien, und überließ Eichbüchl der Verwaltung eines Vogtes. Dieser, Seibold Kerner war sein Name, machte von seinen übrigen Standesgenossen keine Ausnahme, und benutzte, als geheimster Vertrauter seines Gebieters, jede Gelegenheit, seine Spargulden zu vermehren, ohne auf die Erhaltung des ihm anvertrauten Besitzthums nur die mindeste Sorgfalt zu verwenden. Und so kam es, daß das von früherer Pracht zeugende Schloß von außen bereits einen düsteren Anblick zu gewähren begann, welcher mit der Oede in seinem Inneren in freundschaftlichem Einklange stand. Eichbüchl war seit Jahren schon gänzlich unbesucht, es lag vereinsamt da, und nie oder sehr selten sprach ein Fremder dort ein. Diesen nicht unwillkommenen Umstand benutzte Berthold vortrefflich, indem ihm dieses Schloß zu einem geheimen Zufluchtsort dienen mußte, wo er Alles, was das Licht der Oeffentlichkeit nicht vertrug, ungescheut ausüben konnte; und so lag innerhalb Eichbüchls Mauern durch Jahre schon manches Geheimniß vergraben.

Ganz anders gestaltete sich das Leben, als plötzlich die Freifrau von Ellerbach mit der blinden Katharina und der Dienerschaft auf Eichbüchl anlangte.

Seibold gerieth in eine fürchterliche Verlegenheit; die Ankunft der Dame kam so unverhofft, so ohne alle Vorbereitung, daß er für den ersten Augenblick gar nicht wußte, wie er sich der Herrin gegenüber benehmen solle? War sein Gebieter von dieser Reise in Kenntniß? Hatte er vielleicht selbst die Gemahlin hierher gesandt? Und war dies der Fall, warum versäumte er es, ihn mit Verhaltungsmaßregeln gegen die Dame zu versehen? — Ein Gedanke tröstete ihn. „Vielleicht kömmt der Herr selbst hierher," murmelte er in den Bart, „ich will indessen einige Tage warten!"

Juliane, welche den tückischen Schleicher kannte, nahm gegen ihn den kalten, gebieterischen Ton der Herrin an; jeder ihrer Blicke kündete ihm Verachtung, jedes ihrer Worte demüthigte ihn zum Diener herab. — Mit einer unerbittlichen Strenge überwachte sie den Vollzug ihrer Befehle, jede Saumseligkeit, jeder Eigensinn wurde mit den härtesten Ausdrücken gerügt, und als Seibold nur bei einer einzigen Gelegenheit einen Widerspruch wagte, rief sie ihm zürnend zu: „Still! ich bin die Freifrau von Ellerbach; ich befehle, und Ihr, so lange Ihr mein und meines Gatten Diener seid, habt zu gehorchen!" —

Der Vogt zitterte vor Wuth und verstummte.

Die geräumigen Gemächer im Hauptgebäude

wurden von den Damen in Besitz genommen. Das Schloß ward wieder wohnlich gemacht, die nahe Neustadt versprach für die Zukunft manchen Besuch. In Betreff Johanna's hatten die beiden Frauen beschlossen, in den ersten Tagen keine Erwähnung zu machen, denn so lange Bertholds Schicksal nicht entschieden, — das wußte Juliane zu gut, — so lange war auch auf ein Bekenntniß von Seiten des Vogtes nicht zu rechnen.

Die Verlegenheit des Letzteren nahm von Stunde zu Stunde zu; weder Herr Berthold, noch sonst ein Bote kam von Wien; was sollte er thun? Er beschloß eilig an den Gebieter zu senden, um ihn über den unverhofften Besuch auf Eichbüchl um Verhaltungsbefehle zu bitten. Dies geschah auch.

Die Frauen waren kaum einige Tage auf dem Schlosse anwesend, als schon ein sehr angenehmer Besuch eintraf. Es war der alte Hanns Kling von Urschendorf mit Amelei. Die Freude war außerordentlich.

„Nun also, da hast Du sie!" polterte der Greis in gutmüthiger Weise seinem Kinde zu. „Ich sage Euch, Frau Juliane, kaum hatte die Eigensinnige Euere Ankunft auf Eichbüchl erfahren, so war auch jede Mühe, sie zurückzuhalten, vergebens. Trotz Krankheit und Schwäche machte sie sich auf, ich

mußte die Sänfte zuwege richten, und da habt Ihr
sie, wie sie leibt und lebt, mitsammt ihrem matten
Blicke, mitsammt ihren blassen Wänglein, mitsammt
— —" er vermochte vor Rührung nicht zu enden,
sondern wendete sich rasch dem Fenster zu, fuhr mit
der Hand über die Augen, und ließ, um seine Ge-
müthsbewegung zu verbergen, die Spitze des Zeige-
fingers über die angelaufene Scheibe hinaufstreifen,
so daß ein schrillender Ton das Gemach durchfuhr.
Die Frauen erkannten den Grund dieses sonderbaren
Benehmens. Juliane lächelte wehmüthig, und
Amelei eilte auf ihn zu, schlang ihren Arm um
ihn, und lispelte im einschmeichelnden Tone: „Du
bist doch nicht böse, Väterchen?"

„Böse? Bewahre der Himmel! Wenn's nur
hilft, wenn Du nur wieder zu Dir kömmst, wenn
Du nur wieder gesundest!"

„Es wird geschehen," entgegnete die Jungfrau
gutmüthig, „hab' nur Geduld mit mir, ich bin ja
stets Dein folgsam Töchterchen gewesen, ich will mich
beherrschen, will mein Gemüth bezwingen."

Während dieser Reden hatte Juliane Gelegenheit, das Aeußere ihrer Freundin genauer zu betrach-
ten und die Veränderung in demselben wahrzunehmen.
Amelei war nicht mehr jene lebensfrische Blume, wie
wir sie vor Monaten kennen gelernt haben, eine See-

lenkrankheit hatte an ihren Kräften gezehrt; der
Schmelz ihrer Wangen, der Glanz ihrer Augen, der
rosige Hauch, der ihre Gestalt umwehte, Alles war
verloren; sie glich einer in Sonnenhitze verschmachten=
den Blüthe. Wohl erkannte die Freiin auf den er=
sten Anblick hin den Sitz des Uebels, aber sie hütete
sich wohl, diese Saite in Gegenwart des Greises zu
berühren, und sprach daher mit Besorgniß: „Du warst
krank, liebe Amelei, wie kam es, daß ich nichts da=
von erfuhr?"

„Hab' ich es doch Eurem Gatten durch den
Strahemberg künden lassen," erwiederte Hanns Kling,
„aber der Lurbruder scheint es vergessen zu haben.
Hört mich an, Frau Juliane! Ich werde Euch
das Mädl da lassen; seht zu, daß Ihr es wieder auf
den alten Weg bringt, denn wahrhaftig! ich alter
Schädel versteh mich schlecht auf Frauenkrankheiten,
und weiß mit so feinen Spinngewebeglieberchen, der
Himmel möge sich unser erbarmen! nicht manierlich
genug umzugehen."

„Laßt sie nur hier," entgegnete Juliane lächelnd,
„Ihr werdet sehen, sie soll sich bald erholt haben.
Der Kaiser — sie warf einen schelmischen Blick auf
die Freundin — hält Hof in der Neustadt." —

„Nun, was hat meine Tochter sich um des Kai=
sers Hof zu kümmern?" rief der Urschendorfer auffahrend.

„Ich meine nur," besänftigte ihn die Freifrau, „daß es da manchmal Kurzweil und Zerstreuung giebt."

„Recht schön, aber mir wär's lieber, wenn sie von jenem Hofe für immer fern bliebe."

„Ihr wollt sie also wieder zur Einsamkeit verdammen, damit vielleicht der nächste Frühling ein Grab —"

Der Ritter ließ sie nicht aussprechen. „Haltet ein!" rief er mit bestürzten Blicken die Dame anstierend, „welch ein gräulich Wort entfuhr Euren schönen Lippen! — Amelei todt? — Nicht wahr, mein einzig Kind, Du fühlst Dich stärker, gesünder, Du hast mich zu lieb? So rede doch, mein Leben! Nicht wahr, Du wirst nicht sterben?"

Es war ein rührend Bild, den Greis anzuschauen, wie er mit der Linken die Jungfrau umschlungen hielt, und sich mit der Rechten die feuchten Augen trocknete.

Die Freifrau ergriff das Wort: „Seid außer Sorge, Amelei soll erstarken, soll gesunden, und Ihr werdet noch Eure Freude an ihr haben; doch nun zu etwas Wichtigerem. Ich habe Euch in Betreff meines Gatten Mittheilungen zu machen."

Sie erzählte ihm hierauf Bertholds Vergehen gegen den Herzog, und machte ihn auf die Gefahr aufmerksam, in der sich das Leben ihres Gatten befand.

Hanns Kling schüttelte bedenklich das schneeige Haupt: „Das ist ein schlimmer Handel, der Blut kosten wird. Was ist Eurem Gesponsen nur in den Sinn gekommen, sich so weit zu vergessen? Doch nun heißt es nicht klügeln und klagen, sondern zugreifen und helfen. Amelei bleibt ohnedem hier; ich eile daher sogleich nach Wien, werde dort meine Freunde und Kampfgenossen aufsuchen, und Alles in Bewegung setzen, um mindestens das Leben Eures Gatten zu retten."

Juliane war mit diesem Entschlusse zufrieden. Am andern Morgen schon befand sich Hanns Kling auf dem Wege nach Wien.

An demselben Nachmittage saßen die drei Frauen beisammen, und Juliane begann von Heinrich Blumtaler zu sprechen. Sie erzählte von ihrer Zusammenkunft mit ihm in Traiskirchen, von seiner Stellung am kaiserlichen Hofe, und von den Fortschritten, welche er in dem Vertrauen und der Gunst des Kaisers gemacht. Amelei hörte mit Herzpochen zu; jedes Wort war eine Harmonie in ihrer Seele, ein sänftigender Oeltropfen in den Wogen der aufgeregten Leidenschaft.

„Auch in mir," nahm die blinde Katharina

das Wort, „hat der junge Mann ein sonderbares Gefühl erweckt. Obwohl mein Auge ihn nicht sehen konnte, so strebt' ich doch, mir ein Bild seines Aeußeren zu entwerfen, und dieses wird sich unvergeßlich in meiner Seele spiegeln. Der Ton seiner Stimme tönte zutraulich in mein Ohr, er drang in mein Herz, und schlug dort lang unberührt gewesene Saiten an, daß mein ganzes Innere wie von einem Chore durchfluthet wurde, von einem Chore, der nichts als den Namen „Heinrich" sang."

Amelei sah die Blinde an; ein Gefühl, jenem der kindlichen Ehrfurcht nicht unähnlich, hatte sie schon beim ersten Anblicke dieser Frau beschlichen. Sie fühlte sich zu ihr hingezogen, es däuchte ihr, als ob Beide sich nie fremd gewesen wären, und sie hatte daher auch keine Scheu, in ihrer Gegenwart jene Gefühle zu verrathen, welche bisher jedem Anderen, Juliane ausgenommen, tief verborgen geblieben waren. Sie sprach zur Blinden: „Der Name Heinrich knüpft sich wohl auch an Euer Leben mit zarten Fäden an?"

„Mit tausend schmerzlichen Erinnerungen," rief Katharina aus, „mit tausend Thränen, schlaflosen Nächten hat sich dieser Name meiner Seele eingeprägt, er weckt das Weh in meinem Busen, und rückt mir schwarze Tage vor das Auge; und dennoch —

dennoch ist er mir theuer, ist mir unvergeßlich; dennoch klopfen die Pulse schneller, wenn ich ihn aussprechen höre; dennoch sehn' ich mich in die Tage zurück, wo mir jener Name nahe war. O mein Himmel! welche Tage! Sie werden, sie können nie wiederkehren, denn damals war mein Auge noch nicht umnachtet, ich kannte noch das Licht, ich war noch nicht — blind! — Blind für's ganze Leben!" schrie sie plötzlich auf, daß ihre Stimme das Gemach erschütterte, dann sank sie in die Lehne ihres Sitzes zurück und drückte beide Hände an das Antlitz.

Amelei sah erschreckt auf die Freifrau, diese winkte ihr, ruhig zu bleiben. Nach einer Weile erhob sich die Blinde, faßte ihren Stab, und tappte sich in das Nebengemach, dessen Thüre sie hinter sich schloß.

„Welch sonderbares Benehmen?" fragte die Jungfrau mit theilnehmender Verwunderung, „welche Aufregung! Trägt vielleicht meine unbedachte Frage die Schuld an derselben?"

„Zum Theil wohl," antwortete die Freiin, „jedoch darfst Du Dich deshalb nicht beunruhigen; dergleichen Stürme regen sich seit einiger Zeit bei dieser Frau eben so plötzlich auf, als sie dann wieder verschwinden. Siehst Du, theure Freundin, das ist der Herbst eines Lebens, dessen Frühling die Leidenschaft überfluthet hat; das Gefilde ist öde, verwüstet, von einer Ernte keine Rede, der Sturm wühlt die Sand- körner der Erinnerung auf, und treibt Thränen in die Augen. Wer aber das Auge sich hohl und blind geweint, wo die Thränenquelle versiegt ist, da fehlt auch dieser Balsam, und der Schmerz zerwühlt um so gräßlicher das Innere, und macht sich, wie der Sturm, in einzelnen Stößen Luft. Ja, Amelei! so lange der Mensch noch weinen kann, ist kein Un- glück für ihn zu groß, er kann es ertragen: die Thräne macht uns biegsam, wie den Baum, der am Quel- lenrand sich vor dem Sturme neigt; wo aber das Thränennaß vertrocknet ist, da gleichen wir den un- beugsamen Waldesriesen, der Sturm prallt an uns an, uns fehlt die Fügsamkeit, wir stehen unerschüttert da, oder brechen plötzlich zusammen. Siehst Du, meine Freundin, diese Frau ist riesenstark, sie trägt ihr Leiden; Dich aber hat nur ein kleines Weh er- faßt, und Du, das zarte Blümchen, bist mit sammt Deinen Thränen erlegen."

„Juliane! welchen Vorwurf muß ich hören?"

„Es ist kein Vorwurf, meine süße Freundin; diese Worte sollen Dir kein Weh verursachen, Du mußt mich nicht verkennen, mein Wollen ja nicht mißdeuten. Ich wollte Deine Aufmerksamkeit nur darauf hinleiten, daß Verheerung über ein Leben hereinbrechen müffe, welches irgend einer Leidenschaft, und wenn es auch die edelfte des Herzens wäre, willenlos preisgegeben ift. Sieh, meine Amelei, Du liebft, wirft wieder geliebt. Ich glaube das Letztere, und wenn ich mich nicht täusche, so haben zwischen Dir und Heinrich schon Erklärungen stattgefunden. Wie kömmt es also, daß Du in der kurzen Trennungszeit der Sehnsucht, dem Kummer schon erlegen bift? Wie kömmt es, daß Du die Leidenschaft zur Herrin Deines Innern werden ließeft? Bift Du so schwach, daß Du in diesem leichten Kampfe schon erlegen? Was würde erft Dein Loos sein, wenn der Himmel Dich mit Leiden heimsuchte, die wie Schauerwolken die Sonne Deines ganzen Lebens umnachteten?"

Amelei erzitterte bei diesem Gedanken. „Mein Himmel!" seufzte sie, „ich könnte es nicht ertragen, ich würde zusammenstürzen wie ein schwacher Bau, unter dem sich der Boden öffnet."

„Siehft Du, Dir fehlt die Zuversicht, Dir fehlt Vertrauen zu Dir selbft, Dir fehlt der Wille, den Schmerz zu bekämpfen. Raff' Dich auf, meine Freundin! Sei muthig, sei stark! Sieh, Du stehft zwischen mir und Katharina; Du haft zwei Frauen an Deiner Seite, welche im Dulden groß, im Leiden und Tragen das Höchste überwunden haben, was man einem schwachen Menschenkinde nur immer aufbürden kann. Bewahre das Glück der Liebe in Deinem Herzen, aber gieb Dich demselben nicht ganz hin, sondern bedenk' in jedem Augenblicke, daß dieses Glück vielleicht nicht ewig währen, daß es trügerisch sein könne, daß der Himmel Dir vielleicht dies Glück nicht beschieden, und daß die Stunde immer nahen könne, in welcher Du entsagen müßtest."

„Entsagen?" rief Amelei heftig, „Alles, Alles auf dieser Erde: dulden, leiden, kämpfen, erliegen, sterben will ich, aber entsagen werde ich nie, so wahr ein Gott lebt, nie! — Juliane! Du bist meine Freundin, Du bist das einzige Wesen, mit dem ich sprechen kann, offen, frei, so wie mein Herz fühlt, so wie jeder Tropfen warmen Blutes in mir redet. Ich bin schwach, ich kann nicht ringen, ich kann nicht kämpfen, denn mir fehlt die Kraft dazu; aber ich kann dulden, ich kann leiden, und wenn mich der Schmerz auch auf das Krankenlager wirft, so bin ich ihm wohl unterlegen, aber er hat mich nicht besiegt; mein Wille ist immer derselbe, mein Wollen immer das nämliche geblieben! Höre mich an: Ich liebe Heinrich Blumtaler, ich liebe ihn mit der ganzen Fülle meines warmen Herzens, ich liebe ihn so, daß mich schon die erste Trennung von ihm auf das Siechbett warf. Aber wenn Du glaubst, daß ich je nur den

Hauch eines Willens haben könnte, gegen diese Liebe anzukämpfen, so irrst Du sehr! Diese Liebe ist meine Freude, diese Liebe ist mein Leben, mein Glück, diese Liebe ist mein Himmelreich! Ein Augenblick dieser Liebe kann mich für ein ganzes Sein entschädigen, Ein Funken dieser Liebe könnte mich vom Tode auferwecken, und Du meinst, daß ich ihr entsagen könne?"

"Amelei! bist Du es wirklich?" rief die Freifrau erstaunt, "sind es Deine süßen Lippen, welche dieses Feuer sprudeln? Bei Gott, dem Allmächtigen! ich kenne Dich nicht mehr, Du bist nicht mehr meine Amelei, meine liebe, süße Freundin!"

"Ich bin es, Juliane!" rief die Jungfrau, und warf sich der Freundin in die Arme, "ich bin es und eben weil ich es bin, lasse ich mein Herz sprechen und habe kein Hehl vor Dir."

"Nun gut, ich will es glauben; ja, Du bist mir gegenüber noch immer die Nämliche. Sage mir also, wie kömmt es, daß diese Liebe, welche wie eine Brunst Dein ganzes Wesen durchfluthet, wie kömmt es, frage ich, daß diese Liebe, welche Dich so begeistert, nicht im Stande war, Dich gegen den Schmerz zu stählen, welcher über Dich hereinbrach, als Du von Heinrich scheiden mußtest? Wie kömmt es, daß gerade Deine Liebe, welche so unendlich, so stark ist, Dich über den Schmerz emporzuhalten nicht ver-

2*

mochte, sondern Dich demselben zum Opfer hinwarf, daß Du ihm ganz zur Beute wurdest?"

Amelei sann einige Augenblicke nach, dann erwiederte sie: „Wie es kömmt? O, ich fühl' es wohl, aber ich weiß nicht, ob ich die rechten Worte finden werde, Dir es zu verdeutlichen. Sieh, meine theure Juliane! das Weh, welches mich ergriffen hatte, woher ist es gekommen? Aus dem Herzen! und die Quelle, aus der es floß, war die Liebe. Sieh nun, wie ist es möglich, daß Wunden, die von der Liebe geschlagen sind, auch wieder von der eigenen Liebe geheilt werden sollen? — Kein Arzt, wenn er krank ist, hilft sich selbst, er muß immer nur von einem Zweiten geheilt werden. Du schüttelst ungläubig den Kopf? Du glaubst meinen Worten nicht? So rede, Juliane, sei nicht so wortkarg, ich will Dich hören, will Dir folgen! Sprich, hab' ich Recht oder nicht?"

Die Freifrau erwiederte: „Du hast Unrecht, weil Du nur Deinem Herzen folgst, und die Vernunft nicht hören willst."

„O Juliane! Du hast kaltes Blut, bei Dir kann die Vernunft leicht den Scepter schwingen. Aber vergiß auch nicht, daß wir Frauen sind; bei Männern soll der Kopf, bei Frauen muß das Herz den ersten Platz behaupten; wir sind so hinfällig, so schwach, wir haben nichts als ein Herz und eine

Liebe, und wenn eine Frau je groß geworden ist, so wurde sie es nur durch die Liebe. Juliane! ,Du wirst mich nicht verstehen, denn Du — Du haft nie geliebt!"

Amelei hatte die Freifrau umfaßt, und lag schluchzend an ihrem Herzen.

Juliane mußte sich's gestehen: die Freundin habe Recht; die Liebe war ihrem Herzen bisher fremd geblieben; vielleicht eben deswegen, weil die Vernunft immer wach, das Blut kälter war, konnte diese Leidenschaft in der bewährten Brust keine Wurzel fassen. Nach einer Weile entgegnete sie: „Es ist wahr, ich habe noch nicht geliebt, aber um die Liebe zu kennen, muß man denn unumgänglich selbst geliebt haben? Es stünde schlecht um den Arzt, wenn er alle Uebel, gegen die er wirken will, früher selbst erfahren haben müßte. Doch genug des Geredes, Du wirst Dich von mir beherrschen, wirst wieder meine liebe Amelei werden, Dich nicht grämen, und bedenken, daß von hier nach Neustadt kaum mehr als eine Stunde Weges ist, und daß dort ein Herz schlägt, das Dich versteht, und wieder nur für Dich glüht.

Amelei umarmte lächelnd die Freundin: „So recht, meine Theuere! solche Worte hör' ich gern, aber vom Vergessen, vom Entsagen darfst Du mir nicht mehr sprechen! Sieh, der Abend ist herangebrochen. Wie schnell doch immer die Zeit flieht, wenn man von Dingen spricht, die unser Gefühl berühren."

Evchen brachte einen Armleuchter und stellte ihn auf den Tisch. Jetzt öffnete sich die Thüre des Seitengemaches, und die blinde Katharina trat heraus.

Juliane ging auf sie zu und führte sie zum Sitz. Katharina ließ sich nieder und sprach: „Mir ist es da drinnen zu einsam, ich vermochte nicht länger zu bleiben; o, es ist ein ätzend Gefühl, zu wissen, daß man allein stehe. Wenn Ihr es gestattet, werde ich den Abend in Euerer Gesellschaft zubringen."

„Wie könnt Ihr nur zweifeln?" rief die Freifrau, und befahl der Dienerin, die Frauenarbeiten herbeizuholen. Sie und Amelei nahmen dieselben zur Hand. Die Blinde saß ihnen unthätig gegenüber.

Gleichgültige Gespräche kürzten die Zeit, bis man zur Ruhe ging. — — —

— — — — Eine Scene vor dem Schloffe.

Es ist Nacht, kalte Winternacht!

Das Gebirge umlagert wie eine schwarze, unförmliche Masse die Ebene, nur das Rauschen der Föhren, welches von den Höhen herabbringt, verrathet, daß dort noch Leben sei.

Wolkendurchzogen hängt der nächtliche Himmel,

nur hier und da schimmert ein Stern durch den we-
henden Schleier, so wie oft zwischen den Blättern
eine reife Frucht hervorschaut. Nachtdunkel scheint
selbst das Schneelicht übertuscht zu haben, sein gli-
ßerndes Weiß war verschwunden, und ein düsteres
Grau nahm dessen Platz ein.

Das Beben der Bäume ausgenommen, herrscht
Ruhe und Stille; nur manchmal dringt das Heulen
wilder Thiere aus den Bergwäldern herab, die blut-
gierigen sind eben auf ihrer räuberischen Wanderung
begriffen. Marder und Wolf, Fuchs und Bär, Dachs
und Eber streichen durch die Nacht, um Beute zu
suchen; sie scheinen es dem edlen Menschenthiere ab-
gelernt zu haben, denn auch dieser sucht Finsterniß,
wenn er auf Raub ausgeht; aber ein gewaltiger Unterschied herrscht doch zwischen Beiden: bei jenen ist
der Raub Bedingung des Lebens, bei dem Menschen
aber nur Leidenschaft, Gier, sündiger Frevel!

Horch — von der Leitha her dringt Geräusch
— es kömmt näher — man unterscheidet bald das
Knacken von Zweigen, bald Tritte, dann wieder einen Stoß, so wie er bei Jemandem gehört wird, der
über einen Graben setzt, dann wieder ein Schleichen,
— so geht es fort bis in die Nähe des Schlosses,
dann wird es still wie früher.

Die Umrisse einer Menschengestalt werden jetzt

ſichtbar, ſie ſcheint wie ein ſchwarzer Schatten zwiſchen dem Gebüſche zu hocken.

„Verdammt! das iſt ein wahrer Höllenpfad;
ſo durch Nacht und Finſterniß zu pilgern, wenn man
des Weges unkundig iſt. Da geht es fort, man
weiß nicht wo? Hier ein Stein, an den man prellt,
dort ein Buſch, an dem man ſich wund reißt, dann
ein Graben, in welchen man fällt — ich glaube von
dem Ziele meiner Reiſe nimmer fern zu ſein. Die
Finſterniß hemmt den Fernblick — wo mag das
Schloß nur liegen? Ich will harren, bis die Mor-
gendämmerung heranzubrechen beginnt, dann werd'
ich ſehen, wo ich mich befinde!"

So hörte man die Geſtalt ſprechen, deren Stimme
den Mann verrieth. Die Kälte zwang ihn, ſeinen
Standpunkt zu verlaſſen und die Glieder durch Bewegung in gehöriger Thätigkeit zu halten. Ein dunk-
ler Mantel umſchlang ſeinen Leib, ein Kremphut deckte
den Kopf. Es war eine etwas kurze, ſtämmige Geſtalt, mit feſtem Gang und kräftigem Aeußeren.

„Hier alſo," ſprach er bei ſich, „ſollen jene
Mauern ſein, welche ſie umſchließen, ſeit Wochen ſchon
umſchließen, und ich, ich konnte bisher nichts für ſie
thun; ich mußte ſo viel Zeit vergeuden, bis ich nur
erfahren konnte, wo ſie ſich eigentlich befinde. —
Mein Gemüth iſt unruhig, mein Herz bewegt, eine

innere Stimme ruft mir zu: „Hier ist sie, die Du suchst!" — Wie langsam nur die Stunden schleichen, Mitternacht ist zwar längst vorüber, aber der junge Morgen säumt noch immer! Meine Ungeduld wächst von Minute zu Minute, ich möchte den Ort schon sehen, ich möchte sie schon frei wissen, die ich liebe, die mir angehört, deren Leben mit dem meinen verzweigt ist, ohne die ich nicht leben kann, nicht leben will! Halt, was blitzt dort im fernen Ost? Ein Dämmerstrahl taucht herauf — endlich scheint es Morgen werden zu wollen; nur schnell, nur rasch, schwinde Du unselige Finsterniß, laß Licht werden um mich, in mir! Auf! es gilt ihre Freiheit, sie muß heraus aus der Kerkersnacht, ich will die Bande lösen mit List, oder brechen mit Gewalt; mir muß sie die Freiheit danken, mir, dem sie das Theuerste auf dem ganzen Erdenrund ist, ich will sie retten, und dann forteilen mit ihr in die fernen Heimathsberge; dort wollen wir wieder vereint leben, glücklich, so wie früher, ehe die blinde Schlange uns in ihr Nest gelockt, ehe die Elende mir ihr Herz entzog. Wehe ihr, wenn ihr Lebenspfad nur einmal noch den meinen kreuzt! Wehe ihr! denn dann wird sie nicht mehr von mir scheiden, dann will ich auslöschen ihren letzten Lebensfunken, so wie das Licht ihrer Augen schon längst ausgeloschen ist. O, ich will es

nie vergeſſen, daß ſie mir das Schweſterherz entfrem=
det, ich will es nie vergeſſen, wie liſtig ſie mich her=
abgewürdiget, um der Theuern gegenüber nur ein
Knecht zu ſein! — O du elende Ränkeſchmiedin!
daß ich deinen Trug ſo ſpät erſt durchſchauen mußte!
— Aber aller Tage Abend iſt noch nicht gekommen;
wir treffen uns wieder — du wirſt mich nicht ſehen,
aber ich werde dich wieder erkennen; dann aber will
ich mich hinſtürzen auf dich, will dich umſpannen mit
meinen Armen, will dich umklammern mit Rieſenkraft,
daß dir das Blut in den Adern und der Odem in
der Kehle ſtocken ſoll, will dich preſſen, daß dir die
Sinne in dem Schädel wirbeln ſollen, und will dir
mit Donnerſtimme in die Ohren rufen: „Katharina!
erkenne mich, ich war nur ein Knecht deines Hauſes,
aber ein treuer Knecht!" — —

Er ſchwieg.

Einige Stunden ſpäter betrat er den Fußpfad,
welcher gen Eichbüchl führte.

Zweites Capitel.

Es war Friede! — Im Vertrag auf dem Pergamente stand es deutlich, mit ganz leserlichen Lettern geschrieben: „Es soll Friede sein!" — Und dieser Vertrag war gesiegelt und gezeichnet vom Fürsten und Landesherrn, von einem Kaiser und einem Könige! — Wer würde an dem Bestehen des Friedens noch zweifeln, da solche Herren ihn verbrieft hatten? —

Und dennoch war kein Friede! Dennoch stand der Friede nur noch im Vertrage, aber im Oesterreicherlande war keine Spur von ihm! Dennoch war der Friede nur noch auf dem Pergamente, aber nicht in den Herzen zu finden, denn diese glühten noch wie früher von Haß, diese athmeten noch wie früher — den Krieg!

Ist es möglich? Jener Vertrag, jener Friedensschluß —?

O, staunt nicht, diese wurden so gut gebrochen, wie bereits zehn andere gebrochen worden sind; jene

31

Hoffnungen auf Ruhe wurden so gut vernichtet wie alle früheren, welche man bereits seit fünfundzwanzig Jahren gehegt hat. So lange Kaiser Friedrich IV. und Herzog Albrecht VI. leben, so lange kann auch von einer Einigung nicht die Rede sein; so lange sie athmen, athmen sie nur Krieg — Bruderkrieg!

Vermöge des geschlossenen Friedensvertrags sollte der Herzog dem Kaiser die früher abgenommenen festen Schlösser zurückstellen. — Albrecht weigerte sich dessen — Friedrich trat ihm in Folge dessen die Regierung des Landes unter der Enns nicht ab, was er nämlich zugesagt hatte, und der Krieg begann wie früher. Von beiden Seiten erhielten die Feldhauptleute Befehl, die Feindseligkeiten fortzusetzen, und das Blutvergießen begann nach einer wenigtägigen Rast von Neuem.

Herzog Albrecht, welcher wie gewöhnlich einen großen Ueberfluß an Geldmangel hatte, vermochte seine Miethlinge nicht zu besolden, diese entschädigten sich durch Plünderung der Umgebungen Wiens; so wie es vor einigen Monaten die Kaiserlichen gethan, so machten es jetzt die Herzoglichen, und mancher Wiener, welcher mit sich selbst aufrichtig war, rief jetzt schon in seinem Innern: „Wahrlich! wir sind aus dem Regen in die Traufe gekommen!"

Um dem Unwesen zu steuern, und die ungestümen Sölblinge zu befriedigen, mußten sich die Städter. herbei lassen, beträchtliche Abgaben zu leisten; allein die Quellen reichten nicht hin, das Rauben und Plündern währte fort!

Es ist gewiß, aus dem Regen in die Traufe!

Der Kaiser seinerseits ermangelte auch nicht, sein Scherflein beizutragen; er nahm die Ausreißer der herzoglichen Söldner in seinen Dienst, verbot seinen Anhängern auf jenen Landtagen zu erscheinen, welche sein Bruder ausgeschrieben hatte, und ertheilte seinen Getreuen vollkommene Privilegien, sich an dem Herzoge und den Wienern auf jede nur erdenkliche Weise rächen zu dürfen!

Indessen befand sich dieser als regierender Herr zu Wien, die Städter hatten ihm gehuldigt; aber nur zu bald sollten sie Ursache bekommen, jenen Unfug zu bereuen, welchen sie sich kurz früher gegen den Kaiser, ihren rechtmäßigen Herrn, erlaubt hatten.

Albrecht hatte die Burg seiner Ahnherren bezogen, und zwar in demselben, durch die sechswöchentliche Belagerung herabgekommenen Zustande, in welchem sie von dem Kaiser verlassen wurde. Es ward nichts gebaut, nichts hergestellt; die schadhaftesten Stellen, deren Offenbleiben die Jahreszeit nicht gestattete, wurden mit Brettern verschlagen!! — Die

Aemter wurden an seine Getreuen vertheilt. Jörg von Pottendorf erhielt die Würde des Landmarschalls, Stefan von Hohenberg war Kanzler, Siegmund Eyzinger Hofmarschall und Heinrich Lichtenstein Schloßhauptmann. Jörg Pelndorfer wurde Anwalt beim städtischen Rathe, Lorenz Schönberger Stadtrichter, und der Wisend Hubmeister.

Friedrich suchte seinem Feinde auch von einer andern Seite Abbruch zu thun. Er klagte ihn bei den deutschen Reichsfürsten an, zählte die Beleidigungen auf, und schilderte die Schmach, welche er durch die vielen Jahre schon von ihm hatte erdulden müssen; er warf sich in die Würde des deutschen Kaisers, und erklärte den Widerspenstigen seiner Reichsleh'n verlustig; auch der aufrührerischen Wiener ward nicht vergessen, er sprach über sie die Acht aus. Dann wurde Rom wach gerüttelt, der alte Freund des Kaisers, der ehemalige Pfarrer Aeneas Silvius als Papst Pius der Zweite seines Namens, mußte seinen Bann gegen den Herzog und die Wiener schleudern, alle Schleußen wurden geöffnet, um den Verhaßten zu übersprudeln; aber der rasche Feuergeist, der Flammenmensch war unerschütterlich, unverzehrbar; die Anstrengungen des Kaisers vermochten ihn nicht zum Wanken zu bringen, ja selbst seinen listigen Schlingen entwand sich der Rasche, nur Einem gelang es, ihn zu besiegen, ihn mit Blitzesschnelle darnieder zu werfen, und dieser Eine war — der Tod!! — Die Feindschaft, der Kampf, das Blutvergießen zwischen den Brüdern konnte nur aufhören, wenn Einer von Beiden aus dem Leben schied, und dies — geschah!

Ueber Wien hing es während dieser Zeit wie eine schwüle Wetterwolke. Die an den Herzog zu leistenden Abgaben lasteten schwer auf den Bürgern. Viele begannen schon einzusehen, daß sie dem Kaiser, ihrem rechtmäßigen Herrscher, groß Unrecht gethan, und daß es wahrscheinlich besser gewesen wäre, es beim Alten gelassen zu haben. Da sich das Geschehene nicht ungeschehen machen ließ, so begann man schon hier und da darauf zu sinnen, den begangenen Fehler wieder gut zu machen; wir sagen: man begann zu sinnen, denn auszusprechen wagte es um diese Zeit noch Niemand, da die Creaturen des Herzogs allenthalben wach waren, und jedes aufrührerische Wort die schwerste Strafe oder gar den Tod nach sich gezogen hätte.

Dieselbe drückende Stille von Außen hatte sich natürlich auch in das Innere der Bürgerwohnungen verpflanzt. Das böse Bewußtsein, und die Furcht vor vorwurfsvollen Blicken der Minderbetheiligten, ließ Viele die Oeffentlichkeit meiden, sie zogen sich mißgestimmt in ihre Häuser zurück, und die Lücke in dem öffentlichen Leben der Reichsstadt wurde von Tag zu Tag fühlbarer.

Wir versetzen unsere Leser wieder in das Haus Jakob Mainharts, des berüchtigtsten Parteigängers, jenes schielenden Metzgers, dessen Thätigkeit und Einfluß sehr viel dazu beigetragen hatte, den jetzigen Stand der Dinge herbeizuführen.

Seit dem Augenblicke, in dem wir dieses Haus zum ersten Male betreten hatten, sind kaum sechs Monate verflossen, und schon war die Zusage des Meisters gelöst: sein dem Holzer gegebenes Wort war bereits erfüllt, denn Albrecht saß in der Burg seiner Väter zu Wien, — — aber auch er hatte von seinem Verbündeten ein Versprechen erhalten, ein Versprechen, auf dessen Verwirklichung er noch immer vergebens hoffte: seine Tochter Dorothea war noch immer nicht Heinrich Blumtalers Verlobte, vielweniger seine Ehefrau.

Es wird Niemand daran zweifeln, daß allen bei dieser Sache Betheiligten, mit Ausnahme des einzigen Metzgers, der Stand der Dinge nur angenehm sein konnte. Blumtaler hätte in ein Bündniß mit Dorothea nie gewilliget; Holzer, dem es mit dieser Einwilligung· eben so wenig ernst gewesen war, freute sich in dieser Beziehung der Abwesenheit des jungen

Mannes, um den Meister mit diesem Vorwande hinhalten zu können; Dorothea und Herrmann
Preising genossen ruhig des stillen Liebesglückes,
und waren froh, vor der Hand ungefährdet zu sein,
und für die Zukunft hoffen zu können.

Jakob Mainhart hatte bisher keine Gelegenheit vorbeistreichen lassen, ohne nicht mit dem Bürgermeister über diesen Gegenstand zu sprechen, und
ihn an sein Versprechen zu erinnern; aber wie gesagt,
Holzer spielte noch immer den Bereitwilligen, und
wälzte die ganze Schuld auf den Eigensinn des jungen
Mannes, welcher, vom Hofe des Kaisers sich zu entfernen, nicht zu überreden sei. Einige Male ließ sich
der Metzger wohl hiermit beschwichtigen, aber am
Ende wurde es ihm doch etwas zu ärgerlich; die lustige Zeit, in welcher die Ehen gewöhnlich geschlossen
werden, war vor der Thüre, und Jakob Mainhart
hatte sich's einmal in den Kopf gesetzt, seine Dorothea noch in der diesjährigen Fastnacht unter die Haube
zu bringen. Demgemäß machte er sich an einem
Nachmittage auf die Beine und ging auf die Freiung,
zu dem nunmehrigen Herrn Bürgermeister Holzer.

Wie wir bereits wissen, wohnte dieser in dem
Hause des Herrn Simon Potlin, in jenem Hause,
welches er bei Gelegenheit der Plünderung der kai-

ferlichen Anhänger auf die ungerechteste Weise an sich zu bringen gewußt hatte.

Jakob Mainhart stieg haftigen Trittes die Stein= treppe hinan, und trat ohne viel Wesens in die Stube. Im Bewußtsein der Verpflichtungen, welche Holzer, ihm gegenüber, hatte, war er unzart genug, dies den Bürgermeister bei jeder Gelegenheit fühlen zu lassen, und benahm sich auf eine so gewisse vertrauliche Weise, daß es jeden Feinfühlenden verletzen mußte. Wolfgang Holzer war zu klug, um den Metzger in seinem Dünkel zu wecken, denn die Zeit, wo er seiner bedurfte, war noch nicht ganz vorüber; Herzog Albrecht saß zwar schon in Wien, aber deshalb war Holzer von dem Ende seiner politischen Umtriebe so weit entfernt, als je.

Als der Metzger eintrat, saß der Wiener Bür= germeister am Tische, und hatte eine Menge Scrip= turen vor sich, welche er durchlas, unterschrieb, mit Anmerkungen versah, oder auch so bei Seite legte. Einen Athem lang flog eine Wolke des Unmuthes über sein Antlitz, da er den Schielenden gewahrte; aber wie gesagt, währte dies nur einen Augenblick, dann spielte wieder das gewöhnliche Lächeln um seine Lippen, und er erwiederte freundlich, jedoch ohne sich zu erheben, den gebotenen Gruß.

Jakob Mainhart näherte sich dem Tische auf eine so unmanierliche, rohe Weise, als man es nur von dem derbsten Landmanne hätte erwarten können; er schien vergessen zu haben, daß er nicht mehr dem einstigen Geschäftsfreunde gegenüber stand, denn Mainhart hatte mit dem ehemaligen Ochsenhändler Holzer schon manchen Leihkauf getrunken!

„Immer fleißig, Herr Bürgermeister?!" begann er mit tiefem Tone, „Ihr erlaubt schon, daß ich mich niederlasse, ich bin verdammt müde!"

Er nahm auf dem zunächst stehenden Stuhle Platz; dieser erkrachte unter der unbändigen Fleischmasse.

Holzer lächelte.

„Viel zu zartes Schnitzwerk für Unsereins" fuhr der Schielende fort, „das Ding ächzt, wenn man es nur berührt; wenn ich mich aber erst auf meine gewöhnliche Weise darauf niederließe —"

„Dann wäre der Stuhl wahrscheinlich gebrochen!" ergänzte der Bürgermeister mit mehr Mäßigung, als man ihm überhaupt hätte zutrauen sollen.

„Ja, ganz recht, brechen oder ganz bleiben, das ist der Unterschied" platzte der Metzger heraus, „getrennt oder verbunden werden, das ist die Frage."

3*

„Was wollt Ihr damit sagen?" sprach der Bürgermeister langsam, denn er ahnte bereits, was kommen würde.

„Was ich damit sagen will?" entgegnete Mainhart, eine Fratze schneidend, was er aber als ein Lächeln angesehen haben wollte, „ich will nichts damit sagen, ich will blos erinnern."

„Wollt Ihr mir nicht die Freundschaft erweisen, Euch etwas deutlicher auszudrücken?"

„Wenn Ihr mich nicht versteht, oder nicht verstehen wollt —"

Holzer durfte nicht soweit gehen, und begann daher einzulenken: „Oder könnt, hättet Ihr sagen sollen, wenn es sich nämlich um denselben Gegenstand handeln soll, den gerade auch ich im Sinne habe."

„Ja, ja, es wird wohl derselbe Rücken sein, auf welchen wir Beide losklopfen."

„Ihr meint also?"

„Euer bewußtes Versprechen —"

„Mein Versprechen?"

„Nun ja, Euer Versprechen in Bezug auf die Verbindung —"

„Ganz richtig, die verabredete Verbindung —"

„Ja, verabredet! Aber vor der Hand ist es noch immer bei der Verabredung geblieben."

„Ganz natürlich! Zu einem Eheversprechen gehören immer Zwei, und der junge Mann ist zu Neustadt am kaiserlichen Hofe!"

„Dieser Sache muß ein Ende gemacht werden!" rief jetzt der Meister mit einer fast gebieterischen Stimme.

Der Bürgermeister sah ihn mit etwas finsterem Blicke an und erwiederte: „Derselben Meinung bin auch ich; drum gebt mir Rath, auf welche Weise dies zu bewerkstelligen wäre?"

„Ihr befehlt dem jungen Menschen, hierher zu kommen!"

„Glaubt Ihr, daß er gehorchen werde?" —

Mainhart, durch den spöttischen Ton dieser Frage verletzt, antwortete barsch: „Ihr seid sein Anverwandter, habt ein Recht über ihn, und wenn es Euch um die Sache Ernst ist, werdet Ihr Weg und Mittel wissen, Euer gegebenes Wort zu lösen." —

„Könnt Ihr an meinem Willen zweifeln?" fragte Holzer, sich gekränkt stellend.

„An Eurem Willen? Nein, an dem zweifle ich nicht, hab' auch nie an demselben gezweifelt; aber ich fange fast an zu glauben, daß es nie Euer Wille wär, die jungen Leute —"

Holzer ließ ihn nicht ausreden, sondern rief: „Jakob Mainhart! habe ich solchen Verdacht, solche kränkende Meinung um Euch verdient?" —

„Zeigt mir, daß sie falsch ist, sprach der Meister rasch, „und ich will Euch Abbitte thun; aber ich hab' es satt, mich so lange hinhalten zu lassen." —

Man muß gestehen, daß Jakob Mainhart heute Alles daran gesetzt zu haben schien, um von der anderen Seite einen entscheidenden Schritt herbei zu führen; Holzer erkannte dies auch, und sann schon nach, wie der Sturm abzuwenden sein dürfte; er verzweifelte aber schon im ersten Augenblicke, da der Meister mit Riesenschritten dem Ziele zusteuerte, und den Hauptpunkt so im Auge behielt, daß nichts im Stande war, seine Aufmerksamkeit von demselben wegzulenken.

Nach einer Weile nahm der Bürgermeister das Wort: „Früher habt Ihr mich gekränkt, und jetzt fügt Ihr zu der Kränkung auch noch eine Beleidigung hinzu; doch ich will Beides Euerer väterlichen Fürsorge zuschreiben, und das gesprochene Wort vergessen. Eine Frage jedoch kann ich nicht unterdrücken. Sagt mir, warum beeilt Ihr Euch in dieser Angelegenheit so sehr? Ich glaube, ein oder zwei Jahre könnten füglich noch dahin streichen —"

„Kein Jahr — kein halbes Jahr mehr" — rief der Andere, „so wahr ich Jakob Mainhart heiße, und Vorsteher der Metzgergilde bin!"

„Warum aber diese Hast? Ich meine, Euere Tochter wird noch zeitig genug unter die Haube kommen."

„Das Mäd'l ist bereits zwanzig Jahre, folglich ist's jetzt schon immer zeitlich genug. Drum sagt mir kurz und offen, was wird in dieser Sache geschehen? Was seid Ihr gesonnen zu thun, um Euer Versprechen zu lösen?"

„Vor der Hand," entgegnete Holzer, „kann nichts geschehen." —

„Es kann nichts geschehen?" rief der Metzger erbittert aus, „vor einem halben Jahre habt Ihr anders gesprochen; es wird vielleicht in Baldem eine Zeit kommen, wo auch ich anders sprechen werde. Es kann nichts geschehen? Warum kann nichts geschehen? Weil Ihr nicht wollt! Weil Ihr mich genarrt habt, und ich gutmüthig genug war, Eueren Worten Glauben zu schenken. Ihr sprecht, es kann nichts geschehen, und ich sage: von nun an soll auch nichts mehr geschehen!"

„Aber, Jakob Mainhart — diese Aufregung — hört mich doch nur an!"

„Ich mag nichts mehr hören, ich habe lange genug gehört und zugesehen! Mit dem Handel hat es ein Ende, ein vollkommenes Ende! Ihr haltet Eueren Jungen zu hoch, und ich bange um meine Tochter nicht. Ich werde ihr einen Gatten erkiesen, dessen sie sich nicht zu schämen haben wird. Und nun, Herr Bürgermeister, haltet das letzte Wort zu ⋅

Gnaden. Wir werden uns von nun nur noch in Amtssachen gegenüber stehen: ich, der Jakob Mainhart, als Vorsteher der Metzgergilde, und Ihr, Herr Wolfgang Holzer, als Bürgermeister der freien Reichsstadt Wien. Somit Gott befohlen!"

Ohne auf Holzers Reden und Rufen zu hören, stürmte er, wie ein wilder Stier, aus dem Gemache, die Treppe hinab, und aus dem Hause, die Herrngasse hinunter gegen seine Wohnung zu.

Der Zurückgebliebene sah ihm kopfschüttelnd nach.

„Mit dem hab' ich's verdorben," sprach er leise bei sich, „auf seinen Beistand darf ich nun wohl nicht mehr zählen. Ich war zu unvorsichtig, ich hätte für die Erfüllung seines Wunsches mehr Willen, mehr thätigen Willen zeigen sollen; aber wer hätte auch glauben sollen, — halt — welch ein Gedanke — wahrhaftig, das kömmt erwünscht — welch ein herrlicher Gedanke! Die scharfsinnigste Berechnung hätte kein klügeres Ergebniß herbeiführen können, als es hier der Zufall that. — Jakob Mainhart ist nun mein eifrigster Gegner, so wie früher für mich, so wird er nun gegen mich thätig sein. Sein Entfernen, seine Miene, der Ton seiner Rede, ja diese selbst verrathen es hinlänglich. Auf welche Weise kann er wohl gegen mich wirken? — Er wird, mir zum Trotz, der Partei des Herzogs untreu werden, und sich den Kaiserlichen zuwenden — ich kenne meinen Mann — das thut er; ja ja, ich seh' ihn schon sein Panier als Kaiserlicher entfalten — ganz recht — nur zu, Jakob Mainhart! Ohne daß du es weißt, sollst du mir in die Hände arbeiten!"

Er schwieg, seine lächelnde Miene schien immer freundlicher zu werden, seine Züge verkündeten die Zufriedenheit mit sich selbst über die scharfsinnige Combination. — — — — —

Jakob Mainhart langte glühend roth in seinem Hause an. Seine Ehefrau staunte über die Aufregung.

„Komm her, Martha, ich hab' Dir etwas mitzutheilen."

Die Angeredete erschrak, denn die Umtriebe ihres Gatten kennend, glaubte sie in dieser Beziehung ein Unglück zu erfahren.

„Wir sind doch allein?"

Die Frau sah um sich, außer ihr war Niemand anwesend.

„Mein gütiger Himmel!" seufzte sie, „was werde ich hören müssen?"

„Erschrick nicht, aber laß mich nur zuvor zu Athem kommen. Ich bin zu heftig gegangen — der Holzer — der Schuft — ich könnte ihn erwürgen!" —

„Was ist denn so Schreckliches vorgefallen?"

„Schreckliches? Nichts; aber Empörendes! Der Heuchler hat mich genarrt, mit der Heirath ist's nichts — der Blumtaler ist für unsere Tochter verloren; natürlich, der Holzer ist Bürgermeister — o, warum habe ich ihn dazu gemacht!"

Der Ehefrau des Schielenden fiel eine schwere Bürde vom Herzen, doch war sie klug genug, dies weder durch Worte noch durch Geberden zu erkennen zu geben. Sie entgegnete daher ernst: „Welche Demüthigung für Dich, dessen Einfluß der Stolze so viel zu danken hat!"

Mainhart, den gerechten Vorwurf fühlend, schritt im Gemache stürmisch auf und ab, dann blieb er vor Martha stehen und sprach: „Mein Entschluß steht fest, Dorothea muß die Gattin eines Andern werden."

„Meinst Du?"

„Verlobung und Vermählung müssen rasch hinter einander folgen."

„Und der Bräutigam?" — die Stimme der guten Mutter war beklommen, ihr Herz pochte heftiger, ein leises Zittern ihrer Hand verrieth die Angst vor einem unwillkommenen Ausspruch.

„Ja, den Bräutigam werde ich noch heute sprechen."

„Darf ich seinen Namen nicht wissen?"

„Wirst ihn noch zeitig genug erfahren."

„Jakob, hör' mich an. Ich hätte Dir etwas mitzutheilen, ich möchte sogar eine Bitte an Dich richten."

„Laß hören, aber mach's kurz, denn ich muß fort."

„Es sind jetzt schon viele Monate her, seitdem Du Dir es in den Kopf gesetzt hast, Dorothea mit Heinrich Blumtaler zu verbinden; ich habe Dir damals nur einige Worte eingewendet, allein Du warst zu hart, und duldetest keinen Widerspruch; ich schwieg, weil ich mußte; doch sieh da, der Himmel hat sich unseres armen Kindes angenommen, und das ihr bevorgestandene Unglück — denn daß diese Verbindung ihr Unglück gewesen wäre, davon kannst Du überzeugt sein — auf eine andere Weise abgewendet. Jakob, ich bitte Dich, laß diesen Fingerzeig von Oben nicht unbeachtet, und berücksichtige bei dieser zweiten Wahl auch Dorothea's Ruhe, ihren Frieden, ihr Lebensglück."

Der Metzger hörte seine Hausfrau mit Ungeduld an, doch ließ er sie zu Ende sprechen.

„Dem Himmel sei es gedankt, daß Du endlich fertig geworden. Was Du da Alles von Ruhe, Glück und Frieden faselst! Hast Du mich geliebt? Nein! — Hast Du mich Jahre lang vor unserer

Hochzeit gekannt? Nein! — Herrſcht Friede in unſe=
rem Hauſe? Ja! — Kannſt Du der Zukunft halber
in Ruhe leben? Ja! — Biſt Du glücklich? Ja! —
Oder alle Wetter! ich will Den ſehen, der in Jakob
Mainharts Haus nicht glücklich iſt. Was ſoll alſo
die lange Wurſt mit dem magern Inhalt?“

Frau Martha hatte heute ſchon zu viel gewagt,
ſie ließ ſich ſo leicht nicht einſchüchtern und nahm
daher wieder das Wort: „Der Vergleich, den Du
aufgeſtellt, läßt ſich bei Dorothea nicht anwenden.“

„Nicht anwenden? Und warum, wenn ich fra=
gen darf?“

„Weil mein Herz, als Du um meine Hand
geworben, noch frei geweſen.“

„Und das ihre, alle Teufel! und das ihre, iſt
es nicht mehr frei? — Doch, was ereifere ich mich;
mag ſie immer hinter meinem Rücken eine Liebelei
angezettelt haben, was thut das? So wie das Kalb
von der Mutterbruſt, ſo werde ich auch wohl einer
ſolchen Närrin die Liebe aus dem Herzen reißen kön=
nen. Alle Wetter! bin ich noch Herr im Hauſe,
oder ſeid ihr Weiber es geworden?“

Der Rohe ſchlug bei dieſen Worten mit ſeiner
gewaltigen Fauſt dermaßen auf das nebenſtehende
Tiſchchen, daß die Decke deſſelben in kleine Stückchen
zerſplitterte.

Dorothea, welche außen den fürchterlichen Schlag vernommen hatte, eilte herbei.

Ein wüthender Blick des Vaters empfing sie. Martha zitterte wie Espenlaub und hatte Mühe, die Thränen zurückzuscheuchen.

„Gut, daß Du kommst," rief der Metzger der Tochter entgegen, „da her — jetzt sprich — gestehe — oder bei der Hölle und ihrer Gluth! ich thue Dir so, wie diesem Tische hier geschehen."

Dorothea erkannte die Wichtigkeit des Augenblickes; so hatte sie den Vater noch nie gesehen. Gestehen, das mußte sie; allein es frug sich nur um die Art und Weise, auf welche es geschehen solle? Sich demüthig ergeben, oder dem Sturme Trotz bieten? Zwischen diesen Endpunkten blieb ihr die Wahl, ein Mittel gab es in diesem Augenblicke nicht. Welcher Seite sollte sie sich also hinneigen? — Aus Erfahrung wußte sie, daß dem Vater von Seiten der Mutter noch nie ein heftiger Widerstand entgegengestellt worden war, denn Martha war eben so furchtsam und schwach, als gut und nachgiebig; den Harten durch Bitten ihren Wünschen geneigt zu machen, darauf hatte Dorothea auch schon längst verzichtet, sie sah sich also in ihrer Verzweiflung zum trotzigen Widerstand hingedrängt; vielleicht — dachte sie listig genug — wird der ungewohnte Trotz ihn stützen, ihn nachgiebiger machen, die Liebe mag mich stärken, für die Liebe wage ich Alles!

Diesem rasch gefaßten Entschlusse zufolge näherte sich Dorothea dem Vater und sprach mit festem Tone: „Was soll ich gestehen, lieber Vater?"

„Deinen Ungehorsam, Deine Widerspenstigkeit, die Liebelei ohne mein Wissen und Wollen." --

„Wozu mein Geständniß, lieber Vater, da Ihr es ohnedem schon wißt."

„Also wirklich — Mädchen — wirklich? Sprich, rede, oder ich erdroßle Dich!"

„Und wenn Ihr mich tödtet, mordet, foltert, so kann und werde ich doch nichts Anderes sagen, als: Es ist wahr, ich liebe." —

Jakob Mainhart schäumte vor Wuth, er streckte seine Hand rasch nach der Jungfrau aus, um sie zu fassen, in demselben Augenblicke zog er sie jedoch wieder zurück und rief: „Ich darf sie nicht fassen, ich könnte sie in meinem Grimme zermalmen, die Elende! Dorothea, noch einmal sag' ich es Dir, Du sprichst nicht wahr, Du willst mich nur empören; Du kannst es nicht gewagt haben —"

„Ihr irrt, mein Vater," unterbrach ihn die Jungfrau rasch, „ich habe es gewagt, und ich rufe es laut, daß Ihr, daß alle Welt es hören kann, ich liebe Herrmann Preising!"

„Herrmann Preiſing — den Kaiſerer — den Habenichts — und Werbenichts — den größten Tagedieb in ganz Wien, der jetzt mit Meiſter Siebenbürger, der Himmel weiß wo, ſich verborgen hält — den Schelm, den Büchernarren liebſt Du? Dorothea, iſt es wahr, iſt er es wirklich, der Dich bethört?"

„Ja, Er wird mein Gatte, oder Keiner!"

Es trat eine Pauſe ein.

Mainhart ſchöpfte tief Odem und entgegnete: „Du haſt mich heute zum Raſen gebracht, Du haſt gegen das vierte Gebot geſündiget, Du haſt mich empört — aber ich will vergeſſen, will Dir Alles vergeben, ich will Dir ein lieber Vater ſein, aber nur Eines verſprich mir —"

„Und dieſes Eine iſt?"

„Daß Du nie einem Kaiſerer Deine Hand reichſt!"

„Vater, thut mit mir, was Ihr wollt, ich will Alles erdulden, Alles ertragen; ob Kaiſerer oder Herzoglich, das gilt mir gleich, ich liebe nur Einen, und ihm werde ich gehören."

„Du ſollſt ihm gehören, aber er darf kein Kaiſerer und muß ein Feind Holzers ſein! Dies mein letztes Wort. Mißbrauche meine Güte und Nachgiebigkeit nicht, wenn Du nicht willſt, daß ich Gewalt an deren Stelle treten laſſe."

. Dorothea wollte hierauf wieder etwas entgegnen, allein ein Wink der Mutter hieß sie schweigen.

Der Metzger verließ das Gemach.

Mutter und Tochter sanken sich in die Arme.

„Begieb Dich mit dem zufrieden, was Du errungen," sprach die Matrone, „ich hätte nicht geglaubt, daß der Sturm so enden würde. Aber sage mir, Mädchen, wer verlieh Dir nur den Muth, dem Vater so entgegen zu treten?"

„Wer anders, als die Liebe?" erwiederte Dorothea lächelnd, „ach, meine Mutter! Du magst mir's glauben, es fiel mir schwer genug; allein die Nothwendigkeit erheischte es, und die Liebe stärkte mich. Ich habe frischen Muth gefaßt, ich hoffe Alles — Alles von der Zukunft. Möge sie meine Wünsche erfüllen, mögen meine Hoffnungen nicht spurlos zerrinnen; der Himmel hat reine Liebe noch nicht verlassen, er wird auch mir ein Helfer sein!"

— — — — — — Im Schanke beim Kelchner auf dem Hofe treffen wir den schielenden Metzger zum dritten Male.

Mehrere Bürger haben sich an dem gastlichen Tisch gesammelt. Es sind solche, welche noch immer als warme Anhänger des Herzogs die erbittertsten Feinde des alten Regiments waren.

„Guten Abend, Ihr Herren!"

„Willkommen, Valentin Liebhart!"

Man machte dem Angekommenen Platz. Er war eines Schusters Sohn aus Prag, jedoch seit vielen Jahren in Wien ansässig, und nun als einer der angeseheneren Bürger Mitglied des Rathes.

„Ei sieh da, Jakob Mainhart, grüß Gott!" —

„Willkommen, Herr Liebhart!"

„Warum so trotzig, so mürrisch?"

„Ja, ja," bestätigten jetzt Viele, „wir haben es auch schon wahrgenommen, aber wir wollten Euch nicht fragen; was soll das düstere Faltengesicht?"

„Verdruß und Aerger!" versetzte der Schielende mürrisch.

„Doch nicht in städtischen Angelegenheiten?"

„Bewahre; es ist ein eigenes Uebel, Hauskreuz; mag nicht daran denken, sonst werde ich wild, wie mein Ochse, den sechs Hunde hetzen."

„Jeder weiß, wo ihn der Schuh drückt."

„Eine Mücke zerquetscht man, und zehn andere laden sich zu Gast!"

„Ja, wahrhaftig, an solchen Gästen hat Wien nie Noth gelitten."

„Besonders zur Zeit des kaiserlichen Regiments."

„Sind keine Nachrichten aus der Neustadt angelangt?"

„O ja."

„Laßt hören!"

„Was ist's — was wißt Ihr?" riefen mehrere Stimmen.

„Alte Geschichten!"

„Nun?"

„Die Privilegien —"

„Welche Privilegien?"

„Nun jene, welche die Neustädter für ihre Treue schon erhalten haben, und noch erhalten werden —"

„Ei so laßt hören — redet — sprecht — wir brennen vor Begierde — wir sind ganz Ohr —"

„Vor zweiundzwanzig Jahre erlaubte ihnen der Kaiser Weingärten im nahen Ungarlande zu haben, verbot jedoch die Einfuhr der ungarischen Weine."

„Damit ihnen der ungarische ihre Treue in den Köpfen nicht wirblich mache!"

„Vor vierzehn Jahren ertheilte er ihnen wegen ihrer Treue und ihres Gehorsams für alle welschen Waaren die Niederlags-Gerechtigkeit."

„Das heißt, sie durften sich und ihre Waaren niederlegen, wann und wie sie wollten!"

„Seinen Getreuen das Niederlegen erleichtern," rief ein Anderer, „das ist keine Kunst, aber sie zum Aufstehen zu bringen, dazu gehört Scharfsinn."

„Und den besitzen die kaiserlichen Räthe in Ueberfluß!"

„Vor zehn Jahren verlieh er ihnen ein neues Wappen."

„Das Alles hat kein Geld gekostet, und was kein Geld kostet, mit dem ist Kaiser Friedrich sehr freigebig."

„Nicht zu vergessen die Bauten, durch welche er die Stadt verschönert!"

„O ja, aus dem Stadtsäckel, oder von den neuen Aufschlägen, die entrichtet werden mußten."

„Während der Belagerung in der hiesigen Burg haben ihm ja die Neustädter 713 Gulden Ungar-Dukaten, und 4 Schilling Pfennige zu seinen merklichen Nothdurften*) geborgt."

„O, die guten Neustädter!"

„Doch Eins habt Ihr vergessen —"

„Und was ist dies, wenn es zu fragen gestattet ist?"

„Ich meine die berühmte goldene Bulle, welche der Kaiser am Dreikönigstage 1453 dem Hause Oesterreich ausfertigte."

„Laßt hören, was enthält diese goldene Bulle?"

„Sie enthält die Bestätigung der alten Freihei-ten unserer Fürsten." —

---

*) Worte aus der im Wiener Neustädter Stadtarchive noch vorhandenen kaiserlichen Schuldverschreibung.

4*

„O, unsere Fürsten haben an Freiheiten nie Mangel gelitten, desto mehr wir!"

„Er verleih't ihnen den erzherzoglichen Titel."

„Das war schon vor hundert Jahren, unter Rudolf IV. der Fall."

„Sie haben das Recht: Wappen und Kleinodien zu verleihen."

„Das bringt Geld in's Haus."

„Sie dürfen unehelich Geborene ehelich machen."

„Auch das bringt wieder Geld in's Haus."

„Sie können den Juden Aufenthalt in ihren Ländern gewähren."

„Heiliger Abraham! das bringt sehr viel Geld in's Haus."

„Sie haben die Freiheit, neue Auflagen zu machen."

„Saubere Freiheit — schweigt — ich bitt' Euch, und verderbt mir die Laune nicht."

„Wißt Ihr nun, warum diese Bulle die g o l d e n e heißt?"

„O ja," schrieen Alle hell auflachend, „wir wissen's, wir wissen's!"

Es währte eine hübsche Weile, ehe man aus dieser aufregenden Lustigkeit zu Athem kam.

„Wenn ich ein Poet wäre, ich wollte Euch be-
singen!" —

„Ja seht, das ist eine große Schande für uns,
daß wir, die Herzoglichen, keinen einzigen Dichter
unter uns haben, während die Kaiserlichen den **Michel Beheim** den Ihren nennen."

„Ihr habt, wenn auch nur im Scherze, doch einen
sehr ernsten Punkt angeregt," ergriff der **Liebhart**
die Rede, „und ich glaube, es wird an der Zeit sein,
daß wir von diesem Gegenstande sprechen."

„**Michel Beheim** befindet sich ja am kaiserlichen
Hofe?"

„O ja, und dichtet ein Buch von uns **Wienern**, in welchem der böswilligste Spott, der gif-
tigste Witz unseren Aufstand gegen den Kaiser ver-
unglimpft, und solcher Weise unsere Namen der Miß-
achtung der Nachwelt überliefert."

„Was liegt an dem Geplärre eines solchen
Hungerleiders?" rief **Mainhart am Eck**, der die
Sache von der leichten Seite nahm, was er sonst
bei seinen Ochsen nicht zu thun pflegte; „mag er dichten und singen, was ihm beliebt, wir wissen doch,
wie die Sache gekommen ist."

„Ganz recht, wir wissen es, aber werden es auch
unsere Kindeskinder wissen? Die Ueberlieferung ent-
stellt jedes Ereigniß, und wie lange wird es währen,

und man wird, im Mißtrauen auf die Ueberlieferung, jenes Buch zu Rathe ziehen, und die Geschichte unserer Tage wird aus jenen Versen gesucht werden."

„Der Krempl spricht wahr," nahm Jakob Storch das Wort, „wir müssen auf Mittel sinnen, ihm das Dichten zu verwehren, oder zu verleiden."

„Das ist nicht so leicht —".

„O ja, der Rath soll einen Preis auf seinen Kopf setzen —"

„Das soll unsere letzte Zuflucht sein. Vor der Hand muß Alles verschwiegen bleiben, um ihn, falls er wieder nach Wien kommt, nicht aus der Stadt zu schrecken."

„Und dann — "

„Dann bieten wir ihm eine Summe Geldes, daß er selbst sein Buch vertilgen möge. Williget er nicht ein, so suchen wir ihm dasselbe durch List zu entwenden, und wenn Alles nichts nützt, so schreiten wir zur Gewalt; das Buch darf nicht auf die Nachwelt kommen, das Lügenwerk muß ausgerottet und vernichtet werden."

Der Metzger-Vorsteher schüttelte ungläubig den Kopf. „Was Ihr Herren da von solch leerem Geschwätz so viel Aufsehens macht!" brummte er mürrisch in den Bart, „laßt dem Schelm seine Freude;

er ist ein Dichter, nun wohl, so soll er dichten; wer
wird es einem Hund verargen, wenn er bellt?"

„Aber er beschimpft uns ja!"

„Wer wird denn einer Sache, die erdichtet ist,
Glauben schenken?"

„Jetzt Niemand, aber in hundert Jahren."

Der Schielende sah ihn verwundert an und rief:
„Alle Wetter! wer wird sich denn darum kümmern,
was in hundert Jahren das Fleisch kostet? Mögen
sie dann thun und denken, was sie wollen, wir sorgen für die Gegenwart und lassen die Zukunft unge-
schoren. Was mir nicht macht heiß, laß ich alle
Weis!"

Der Liebhart schüttelte mißbilligend das Haupt,
er schien die Unempfindlichkeit des Metzgers nicht be-
greifen zu können und entgegnete: „Behaltet Euere
Meinung für Euch, wir Andern wollen auch die un-
sere behaupten, und die Maßregeln in Bezug auf
Vernichtung des erwähnten Buches beim Rathe in
Anregung bringen. Seid Ihr es zufrieden, Ihr
Herren?"

Alle Anwesenden riefen ein bestätigendes „Ja"
und der Schielende setzte hinzu: „Ich habe heute
schon so viel zugegeben, so kann ich auch hier „Ja"
rufen, ich bin also auch dafür; obschon es mir sehr
leid wäre" brummte er leise in sich hinein, „wenn

ihnen der Plan gelänge, denn wie ich einmal sprechen
hörte, so soll das Capitel: „Des Holzers Titu-
lum" ganz vorzüglich sein."

Ohne daß es der Dichter wußte, war seinem
Buche der Untergang bereitet; jenem Werke, welchem
er seinen ganzen glühenden Haß gegen die Wiener
eingehaucht hatte; jenem Werke, welches er mit dem
Blute seines Herzens groß zog, und mit Gefahr seines Lebens der Nachwelt erhielt.

Drittes Capitel.

Es ist am frühen Morgen.

Seibold Kerner schlich leise, verstohlenen Schrittes durch einen der abgelegensten Gänge der Burg Eichbüchl.

Sein Haupt mit den zwei zusammen gekniffenen Augen hing etwas vorwärts, sein Gang war schleppend, langsam, vorsichtig, obwohl er diesen Weg schon unzählige Mal zurückgelegt hatte. In der rechten Hand trug er einen Handkorb, in der linken zwei Schlüssel. Nachdem er den verschiedenen Windungen des Ganges gefolgt, in mehrere Seitenrichtungen eingebogen, auch mehrmals kurze Treppen mit einigen Stufen abwärts gestiegen war, befand er sich endlich vor einer eisernen Thüre.

Er öffnete diese und ging durch einen finstern, engen Schlund, denn einen Gang konnte man dies doch wohl nicht nennen, dann gerade aus vor sich hin, bis er abermals vor einer Thüre stand, welche er mit dem andern der beiden Schlüssel aufschloß.

Der Raum, welchen er nun betrat, war finster; nur von rückwärts schimmerte es, einem matten Grauen gleich, hervor; nicht Tageslicht war es, nein, es schien nur so, als ob von dort das erste Morgendämmern hervorzubrechen gedenke. Selbst das an Dunkelheit gewohnteste Auge hätte in dieser Behausung nur mit Mühe die Gegenstände unterscheiden können; wir sehen nichts, ja wir glaubten kaum, daß ein menschliches Wesen diesen Ort zu bewohnen im Stande sei, wenn beim Eintritte Seibolds nicht eine Stimme deutlich zu unserem Gehör bränge, von welcher wir die Worte vernehmen: „Bist Du es wieder?"

Die Frage kam aus matter Brust; der so sprach, mußte ein Mann sein.

Der Vogt entgegnete: „Ja, ich bin's, kein Anderer als ich, Seibold Kerner, schon seit vielen Jahren, immer nur ich', immer nur der Seibold. Hier der volle Korb, gebt mir den leeren zurück."

Man hörte Kettengeklirr. — Wahrscheinlich mochte sich der Gefangene erhoben haben. Das Geräusch näherte sich dem Vogte, gleich darauf hörte man diesen sprechen: „So, jetzt ist's recht, gehabt Euch wohl!"

„Seibold!" rief die frühere Stimme.

„Ihr wünscht?"

„Verweile noch einige Augenblicke!" Diese Worte waren mit gebieterischer Stimme gesprochen.

Der Andere gehorchte und murmelte dumpf in den Bart: „Was wird es geben? Wieder die alte Litanei von Klagen, immer der nämliche Rosenkranz von Bitten, Beschwörungen und Verwünschungen."

„Was murmelst Du vor Dich hin?" fragte der Gefangene?

„Habt Ihr mich nicht verstanden?"

„Nein, Seibold, ich bin der menschlichen Stimme gewöhnt, ich bin durch den langjährigen Aufenthalt allhier schwerhörig geworden."

„Nun also noch einmal, was wünscht Ihr von mir?"

„Wie lange ist es, daß Du mit Berthold gesprochen?"

„Kaum einige Monate."

„Hast Du ihm meine Botschaft —"

„Ei, hört mir mit den Fragen auf! Ihr wißt ja, daß der Gebieter Euch kein Gehör schenken will." —

„Er will nicht — heiliger Himmel! — er will nicht — ich verzichte ja auf Alles — ich will ja Allem, Allem entsagen, ich will nur wissen, ob er meine Kinder nicht vergessen?"

Seibold murmelte einige unverständliche Worte, welche seine Ungeduld über den Aufenthalt zu erkennen gaben. Der Gefangene ergriff dann wieder die Rede und sprach: „Ich bin krank — ich werde meinem Geschicke erliegen." —

Endlich! dachte der Vogt, dann setzte er laut hinzu: „Es wird nicht so arg sein, Ihr habt durch die Jahre her wacker ausgedauert, mir ist um Euch nicht bange, Ihr werdet es schon noch durch manches Jährlein ertragen."

„Heiliger Gott! Du wirst mich Unschuldigen nicht so langen Leiden preisgeben! Doch es kann, es wird nimmer lange währen, meine Kräfte sind aufgezehrt, meine Sinne sind schwach geworden — ich bin matt, siech, krank." —

„Habt Ihr sonst nichts mehr auf dem Herzen?" fragte Kerner mit ungeduldiger Kälte.

„O, bleibe noch, ich bin ja immer allein, ich habe ja nichts als kalte Mauern um mich; bleib noch einige Minuten, damit mir doch die süße Beruhigung werde, daß ich zu einem menschlichen Wesen spreche, daß mein Wort nicht ganz spurlos verhalle. — Seibold, Du bist rauh, hart, aber Du mußt doch warmes Blut in Deinem Herzen haben, wenn auch kein fühlend Herz in Deinem Busen schlägt; o erbarme Du Dich mein, schenke mir die Freiheit!"

Seibold brach in ein helles Gelächter aus; der Gefangene fuhr fort: „Du lachst? Meinst Du, ich würde mich an ihm rächen? Nein, ich schwöre es, bei der Hölle, welcher er anheimfallen wird, bei den Gluthen, die ihn einst verzehren werden, schwör' ich Dir, daß ich ihn meiden will wie den schwarzen Tod; ich will schweigen wie das Grab, kein Hauch soll die Qualen künden, welchen er mich preisgegeben, kein Wort soll den Namen meines Henkers verrathen. Seibold, löse meine Ketten, öffne mir die Kerkerthüre, mach mich frei, frei wie ich einst gewesen; komm, werde Du, der Fremde, mein Rettungsengel, laß mich schauen wieder das Tageslicht, laß mich athmen Gottes freie Luft, ich werde Dir es nie vergessen, ich werde Dich verehren, anbeten, wie einen Heiligen —"

Da der Gefangene einige Augenblicke inne hielt, so murmelte Seibold Kerner: „Wahrhaftig, nun glaube ich es selbst, daß es nimmer lange währen wird, er redet schon irre."

Der Gefangene fuhr fort: „Seibold, sieh, Du hattest nie ein Weib, Du bist nie Vater gewesen, Du kennst die Gefühle eines Vaters nicht. Mach mich frei, nur um meiner Kinder willen, nur meine Kinder möcht' ich noch einmal sehen. Als ich sie verließ, waren sie noch klein, kaum der Sprache fähig, aber jetzt — jetzt müssen sie schon erwachsen sein; welche Wonne erwartete mich in ihren Armen, welche Seligkeit, von ihnen das liebe Kindeswort zu hören!

— Seibold — rette mich — erbarme Dich meiner — sieh — ich liege vor Dir auf den Knieen — ich, der Herr, vor dem Diener! — Seibold — Rettung aus dieser Kerkersnacht — Erbarmen für mein Leiden — ich will vergessen und vergeben!"

An dem Klirren der Ketten hatte man in der That den Augenblick erkannt, in welchem der Gefangene auf das Knie gesunken war; aber wenn der Unglückliche wirklich den Trost hegte, zu einem menschlichen Wesen zu sprechen, so mußte ihn doch schon langjährige Erfahrung belehrt haben, daß bei diesem Manne seine Worte nie weiter drangen, als bis zu des Ohres Muschelpforte; hier verklangen sie aber so spurlos, als ob er nur kalten Mauern sein Leid geklagt hätte. Jener Trost war also eine hohle Aehre, seine Hoffnung ein Korn, welches in sandigen Boden fiel und dort keine Wurzel schlagen konnte, und dennoch, dennoch hörte er nicht auf, den Vogt zu bestürmen, dennoch rang er in seiner Verzweiflung nach diesem schwachen Halme, daß er ihn vor dem gänzlichen Untergange bewahren möge.

Aber so, wie oft, war es auch dieses Mal wieder vergebens gewesen; so wie oft schon, hatte er auch jetzt wieder umsonst gefleht, denn Seibold Kerner zog sich während der letzten Rede des Gefangenen immer mehr und mehr zurück, und als sich dieser wieber erhob, hörte er schon, wie jener die Thüre hinter sich schloß.

Er warf sich, abermals enttäuscht, auf das Strohlager, Grabesfinsterniß um ihn, Grabesfinsterniß in ihm, so lag er jetzt wieder da, wie viele Jahre schon; so sann er jetzt wieder auf Mittel zu seiner Befreiung, wie er es unzählige Mal gethan, und so wie immer fand er auch jetzt kein einziges Plätzchen, um nach demselben seinen Rettungsanker auszuwerfen. Aber es giebt nichts Stärkeres, als den Willen, es giebt nichts Zäheres, als den Geist eines Menschen! Abgeschnitten von aller Welt, nur durch ein einzig lebendiges Wesen mit derselben in Verbindung, durch ein Wesen, von dessen Marmorherzen jedes warme Wort apprallte, von dem also nichts — gar nichts zu hoffen blieb: so war die Lage dieses Gefangenen, und dennoch, dennoch hatte er dem Gedanken an Rettung noch nicht entsagt; die schmachvollsten Jahre mitsammt ihren Qualen und Täuschungen vermochten nicht, ihm alle Hoffnung auf einstige Freiheit zu rauben; er glaubte noch immer an die Zukunft, an diesen Talisman unseres Erdenlebens, von dem wir Alle einst so viel, so unendlich viel erwarten.

Raubt den Menschen die Aussicht auf die Zukunft, und die Gegenwart wird sie erdrücken!

Der Name dieses Gefangenen war Pupeli!! —

— — — — Seibold Kerner war eben auf seiner Stube angelangt, als ihm ein Fremder entgegen trat.

Das verstörte, häßliche Aussehen desselben erregte das Mißfallen des Vogtes, er musterte ihn mit schielenden Blicken und fragte kurz und barsch: „Was ist Euer Begehren?"

Aber auch der Angekommene richtete auf seinen Mann den stechenden Blick, schnitt eine grimmige Fratze und entgegnete: „Das ist nicht so schnell und nicht so leicht abgemacht, als Ihr wähnt, Herr Vogt; ich bin müde."

Bei diesen Worten sah er sich nach einem Sitze um, und ließ sich auf demselben nieder, dann sprach er weiter: „So, das war geschehen; nun seid so gut, und tischt mir einen Morgenimbiß, denn beim Teufel! ich hab' mich ganz ausgeloffen, mich hungert's wie einen Wolf!"

Seibold konnte vor Staunen kaum zu sich selbst kommen. „Herr," begann er verwundert, „Ihr seid entweder ein kecker Lungerer, oder Ihr habt den Verstand verloren!"

„Keines von Beidem, ich bin vor der Hand nichts als hungrig, nach der Hand werdet Ihr noch mehr erfahren."

„Wer seid Ihr?"

„Ein Knecht, aber ein treuer Knecht."

„Euer Name?"

„Ich heiße Simon! Nun aber ist's schon auch des Fragens genug, Ihr erhaltet keine Antwort mehr, bis mein Begehren erfüllt ist."

„Ihr werdet mir aber doch erlauben," rief Seibold Kerner entrüstet aus, „daß ich nicht Jedem, der daher kömmt —"

„Ei so," unterbrach ihn der Häßliche, „Ihr hegt Mißtrauen? Habt Recht, in Eurem Amte muß man behutsam sein, besonders wenn man so wie Ihr das vollste Vertrauen des Gebieters genießt, und in seine geheimsten Unternehmungen mit eingeweiht ist."

Der Vogt hatte nun Ursache, noch mehr zu staunen, doch hütete er sich, auf die Lockspeise des Anderen einzugehen und entgegnete kalt: „Ich bin ein treuer Diener meines Gebieters, sonst nichts." —

„Deshalb," nahm Simon das Wort, „müßt Ihr auch mich nicht hungern lassen, denn ich bin dasselbe wie Ihr."

„Wie, Ihr wärt?"

„Ein Diener des Edlen von Ellerbach!" bestätigte der Häßliche, „doch nun stillt meinen Hunger, und dann wollen wir weiter sprechen."

Seibold Kerner ließ dem Räthselhaften ein Frühmahl tischen; Simon aß ruhig und behaglich, ohne sich um die forschenden Blicke des Vogtes zu kümmern, und begann nach einer Weile wieder: „Nun, habt Ihr noch kein Zutrauen zu mir gefaßt?"

„Noch nicht ganz!" entgegnete der Andere mürrisch.

„Eure üble Meinung soll bald schwinden. Sind wir unbehorcht?"

„Ihr könnt ungescheut sprechen."

„Wohlan! mich sendet unser Herr und Gebieter. Er befindet sich in herzoglicher Gefangenschaft."

„Heiliger Gott! was sprecht Ihr?" —

„Ruhig, und entsetzt Euch nicht. Herr Berthold wurde von herzoglichen Dienern plötzlich überfallen und festgenommen; die Ursache dieser Verhaftung ist zwar öffentlich nicht bekannt, aber ich kenne sie, sie wurde mir von dem Edlen von Ellerbach im Gefängnisse anvertraut. Ich hatte nämlich das Geschäft, ihn durch einige Tage mit allem Nöthigen zu versehen, denn sein Gewahrsam ist vor der Hand ein ritterlicher. Die Klagen des Herrn rührten mich, und ich versprach ihm meine Hülfe. Er vertraute mir nun, daß dieser Verhaftung keine andere Ursache zum Grunde liegen könne, als jene beiden Gefangenen —"

„Heiliger Gott! nicht so laut, mäßigt Eure Stimme —"

„Nun ja, jenes Mädchen, und der Bruder —"

„Stille, sprecht den Namen nicht aus, ich weiß schon, wen Ihr meint — weiter, weiter — erzählt weiter!" — Die Angst malte sich lebhaft in den Zügen des Vogtes, seine kleinen Augen glitzerten den Sprecher gierig an, Furcht und Bangen hatten seine Farbe gebleicht, und preßten ihm Schweißtropfen auf die Stirne.

Simon fuhr fort: „Unser edler Herr meinte, der Aufenthalt jener Beiden auf Eichbüchl müsse dem Herzog und den übrigen Landherren durch irgend einen unseligen Zufall entdeckt worden sein —"

„Gewiß, gewiß ist dies der Fall!" rief Seibold jammernd, „welche Entdeckung, Jenen noch am Leben zu finden, den alle Welt für todt hält." —

„Der edle Herr fürchtet also," fuhr Simon fort, „daß Schloß Eichbüchl, wenn obige Muthmaßung richtig ist, nächstens überfallen — durchsucht —"

Ein neuer Gedanke bemächtigte sich des Vogtes. Er erinnerte sich der anwesenden Gebieterin. Nun schien ihm ihre Anwesenheit klar zu werden. Sie hatte sich, so meinte er, nach der Gefangennahme ihres Gatten von Wien entfernt, um den Ungeliebten seinem Schicksale zu überlassen. Wenn sie nun erfahren würde, daß er ein Helfershelfer ihres Gatten — Seibold getraute sich diesen Gedanken kaum auszudenken, sondern rief, den Anderen unterbrechend,

5 *

ängſtlich aus: „O, ihr Heiligen! welch ein Abgrund
öffnet ſich vor mir, er wird meine Schritte hemmen,
oder mich gar verſchlingen."

Verzweifelnd rang er die Hände und ſchleppte
ſich klagend in der Stube auf und nieder.

Simon, weit davon entfernt, den Gegner durch
irgend einen Scheintroſt aufzurichten, erwiederte: „Ja,
ja, das Unglück iſt ſchwer über das edle Haus hereingebrochen, und mit dem Gebieter muß auch immer
der Diener untergehen, dies iſt das Loos der Treue
auf der Erde!"

„Wenn wir nur ungehindert und allein wären
— aber —"

Simon horchte auf, der Vogt fuhr fort: „Aber
die Anweſenheit der Dame —"

Der Häßliche ſtutzte; ohne dem Anderen durch
eine Frage ſeine Unkenntniß zu verrathen, ſtimmte er
in deſſen Klage ein und ſagte: „Ja, die Dame darf
nichts erfahren." —

„Aber wie ſie täuſchen? Frau Juliane hält
ſtrenge Wacht." —

Simon wußte genug. „Ihr meint alſo?" fragte
er langſam. —

„Ich glaube, die beiden Gefangenen müſſen heimlich von hier entfernt werden." —

Simon hatte mit der früher ausgeſprochenen Be-

fürchtung vom Durchsuchen des Schlosses einen anderen Anschlag zur Befreiung seiner Schwester im
Sinne, und wollte diesen auch dem Vogte als einen
Befehl des Edlen überbringen; bei Seibolds letzter
Rede faßte er aber rasch einen andern Entschluß, und
um dessen Mißtrauen ja nicht zu wecken, rief er:
„Wahrhaftig! eine Entfernung auf dieselbe Weise hat
mir auch der Edle Herr anbefohlen. Er wünscht,
die beiden Gefangenen mögen ganz in der Stille von
hier abgeführt und auf ein anderes seiner Schlösser
gebracht werden." —

„O, ich weiß schon, nach Ebenfeld — dorthin
pflegte er auch oft allein zu kommen; aber mein Himmel! wenn nur die Dame nicht anwesend wäre."

„Ihr werdet doch die einzelne Frau nicht
scheuen?"

„Dem Henker auch ist sie einzeln! Die ganze
Dienerschaft ist ihr treu ergeben, außerdem werden
von Urschendorf Bewaffnete eintreffen, um die Mauern zu besetzen; der Böse selbst hat zu so ungelege-
ner Zeit die Gebieterin und die Blinde herbeigeführt."

„Welche Blinde?" fragte Simon mit Hast.

„Eine blinde Here — Frau Katharina —"

„Katharina hier!" schrie der Häßliche auf.

„Ihr kennt sie?"

„Ob ich sie kenne? Wie mögt Ihr fragen!

Merkt Ihr's nicht, daß jeder Nero an meinem Leibe
bebt? Seht Ihr nicht, wie die Adern schwellen, wie
die Finger sich krampfhaft krümmen? Ich kenne die
Elende nur zu gut." —

„Sprecht, redet, Ihr habt meine Neugierde erweckt!"

Simon hatte im Augenblicke ein Mährchen er-
sonnen, welches aber mit der Wahrheit in einiger
Beziehung stand; er sprach: „Ihr sollt in wenigen
Worten Alles erfahren — diese Blinde ist die Mutter jenes Mädchens, welches hier —".

„Still, still, ich weiß, nur weiter!"

„Ich war ein Knecht in ihrem Hause, und habe
im Sinne des Edlen von Ellerbach —"

„Verstehe! Und die Blinde?"

„Ließ mich züchtigen — peinigen — nur mit
Mühe entkam ich dem Gewahrsam — da erfuhr ich
das Unglück des Edlen —"

„Das Uebrige ist mir ohnedies bekannt, aber
wie kam die Blinde zu unserer Dame?"

„Sie schlich sich wahrscheinlich in ihre Gunst,
um hier nach dem Mädchen zu spähen."

„Ihr meint also, daß unserer Dame die Anwesenheit jener Jungfrau noch unbekannt sei?"

„Ich glaube es, jedenfalls müssen wir uns be-
eilen —".

„So schleunig als möglich," sprach Seibold
Kerner, „doch muß ich früher noch die Rückkunft des
Boten abwarten."

„Welches Boten?"

„Den ich zu unserem Gebieter in die Stadt gesandt habe."

„Meint Ihr, daß es ihm gelingen werde, bis
zu Herrn Berthold zu bringen? Ich glaube kaum!"
setzte Simon als Antwort auf seine eigene Frage
zweideutig hinzu.

Die Rückkehr dieses Boten abzuwarten, lag nicht
im Plane des Häßlichen; denn da der gewaltsame
Tod des Edlen von Ellerbach noch immer ein Geheimniß war, so konnte sich die Zeit dieser Rückkunft
für seine Ungeduld viel zu weit hinausdehnen; auch
folgerte Simon nun ganz richtig, daß mit dem Be-
kanntwerden von Ellerbachs Tod die beiden Gefangenen zwar augenblicklich frei sein würden; allein
dann war es aber auch gewiß, daß die anwesende
Blinde seine Schwester wieder an sich ziehen, und er
ganz in dasselbe unselige Verhältniß, wie früher, zu
treten gezwungen sein würde. Dem zufolge beschloß
er, im Stillen zu spähen, und die Rettung der Schwester wo möglich bald, und ohne Wissen des Vogtes
auszuführen.

Seibold Kerner, froh, in dieser drängenden

Lage Jemanden um sich zu haben, dem er, seiner Meinung nach, trauen konnte, antwortete freundschaftlich auf Simons letzte Worte: „Ihr meint also nicht, daß es meinem Boten gelingen werde, mit dem Gebieter zu sprechen?"

„Wir können es ja abwarten, doch bis dahin —"

—„Nun, was bis dahin?"

„Bis dahin muß meine Anwesenheit auf dem Schlosse den beiden Damen ein Geheimniß bleiben."

„Freilich," entgegnete bestätigend der Vogt, „Ihr seid hier als Diener meiner Person, kommt mit ihnen in keine Berührung; von der Blinden habt Ihr ohnedies nichts zu befürchten."

„Und vor Frau Juliane?"

„Kennt Euch diese auch?" .

„Es wäre allenfalls möglich, daß sie von Katharina —"

„Ich verstehe. Ihr müßt also auch vor dieser gesichert sein — Euer Antlitz ein wenig entstellen."

„Ganz recht, ich will schon Sorge tragen, daß sie mich nicht erkennt. Auch meinen Namen müssen wir ändern."

„Ganz richtig, wie soll ich Euch also nennen?"

„Hanns!"

„Bin's zufrieden!"

„Wir sind also einverstanden?"

„Völlig einverstanden!"

Seibold Kerner fühlte seine Brust nicht wenig erleichtert, denn mit der Mitwissenschaft Simons glaubte er einen Theil der eigenen Schuld auf die Schulter des Anderen gewälzt zu haben.

— — — — — — — — — An dem Nachmittage desselben Tages stand Amelei am Fenster und blickte durch die kreisrunden Scheiben in die weite Gegend hinaus, welche offen und frei da lag, so wie die Brust eines Menschen, der vor dem Andern kein Hehl hat und ganz ohne Falsch ist.

Das Auge der Jungfrau streifte sehnsuchtsvoll bis zur nicht fernen Neustadt, dort blieb es an den Eckthürmen der kaiserlichen Burg hangen, so wie ein Blatt, welches, mit den Wellen des Baches fortspielend, plötzlich durch die hervorragende Wurzel eines Uferbaumes aufgehalten wird. Ein leiser Hauch, kaum konnte man es einen Seufzer nennen, säuselte zwischen den süßen Lippen hervor, dann lispelte sie: „Dort, dort lebt er, dort wandelt er, so nahe und so fern! — Weiß er vielleicht nicht, daß ich hier bin? Ach nein, wenn er es wüßte, er wäre gewiß nicht fern geblieben! — Doch sieh dort, ein einzelner Reiter trabt den schmalen Pfad gegen das Schloß her, sein Ritt ist scharf, die Feder wallt lustig im Winde; ha, das Roß setzt über den Graben, nun geht es

wieder fort, rasch, über Stock und Stein; — wie
stolz der Mann nur auf dem Rosse sitzt — er kommt
näher — sein Antlitz ist auf dieses Schloß gerichtet
— heiliger Himmel! mein Herz: was soll dieses Jagen, dieses Toben? — Der Ritt wird immer schneller, mein Blut jagt immer rascher; ha! wie er daher
braust — schon hör' ich den Schlag der Hufe, oder
ist dies der Schlag des ahnungsvollen Herzens? —
das Roß dampft — schnaubt — wirft den Schaum
von sich — nun geht es gegen die Höhe zu, der Reiter, mein Himmel — diese Gestalt — darf ich meinen Augen trauen?" — Sie riß das Fenster auf
und neigte das glühende Antlitz in die kalte Winter-
luft hinaus. — „Ja, ja, mein Herz pocht schneller
— mein Blut droht die Sehnen zu zerreißen — ich
täusche mich nicht — er — er ist es — Heinrich!"

„Amelei!" tönte es von unten herauf.

Und wie der Blitz flog das Fenster zu, und wie
der Sturm ein Blatt vor sich hinweht, so flog die
Jungfrau durchs Gemach, die Treppe hinab, und lag
in den Armen Blumtalers.

„Mein Heinrich!"

„Meine Amelei!"

In dem Ton dieser Worte lag das ganze Ent-
zücken des Wiedersehens, in diesen wenigen Sylben

lag, wie ein ungeheurer Schatz gebannt, die ganze irdische Seligkeit, das ganze Himmelreich!

„So hab' ich Dich wieder, Du mein süßes Mädchen!"

„So ruh' ich denn wieder an Deinem Herzen, mein Heinrich!" weinte Amelei. ●

Ja, ja, die Liebe, wenn sie auch wie ein einziges Feldblümchen unter den Stürmen des Weltgetriebes hervorgebrochen, so entfaltet sie doch stark und gewaltig ihr mächtiges Banner, und rauscht und jubelt, und wächst und gedeiht, und wird groß, wie jene südlichen Blumen, deren Kronen vor Sonnenbrand ein schützendes Obdach gewähren, und wird stark wie jene Riesen, deren Stämme noch Zweige gebären, obwohl sie die Tage Salomonis geschaut.

Seht hin, sie liegen sich in den Armen, sie halten sich fest umfaßt; sie blickt trunken in sein glühendes Auge, und er hängt zitternd an ihrem feuchten Blick; die Herzen schlagen ineinander wie zwei Glocken, deren Töne sich mischen und dann harmonisch durch die Lüfte wallen.

Ohne daß sie es selbst wußten, befanden sie sich oben im einsamen Gemache; mein Himmel! wie können die Sinne für andere Dinge empfänglich sein, wenn sie in solchen Seligkeiten schwelgen, und wenn sich ihnen in diesem Momente das Himmelreich erschloffen hätte, sie würden es unbewußt nicht beachtet haben.

„So ist der langersehnte Augenblick endlich gekommen," lächelte Blumtaler, „jener Augenblick, dem mein Herz in der ganzen Fülle seiner Liebe entgegen schlug —"

„Und glaubst Du, mein Lieber," unterbrach ihn die Jungfrau, „dasselbe sei bei mir nicht auch der Fall gewesen? Ach, Heinrich! was habe ich während dieser Zeit gelitten! Kein Herz neben mir, keine Seele um mich, der ich mich hätte anvertrauen können, so stand ich mitsammt meinem Schmerze allein, und mußte ihn vergraben in meiner Brust, und mußte dulden, leiden, bis ich unterlag."

„Mein Gott! Amelei, bist Du vielleicht krank gewesen?"

„Ja, mein Heinrich, ich lag schwer darnieder; doch dem Himmel sei es gedankt! jetzt bin ich genesen."

„Und ich," klagte der junge Mann, „ich wußte kein Sterbenswörtchen, ich lebte so sorglos, als ob kein Wölkchen unsern Liebeshimmel trübte —"

„Ist es nicht so besser? Was hätte es auch gefruchtet, hätt' ich die Kunde gesendet? Du würdest Dich nur gegrämt haben, ohne mir helfen zu können."

„Du irrst, süßes Mädchen! Ich wär' auf Lie-

besflügeln zu Dir geeilt, hätte mich an Dein Krankenlager gesetzt, hätte Dir die heiße Stirn geküßt,
Dein liebes Haupt weich gebettet, die welken Lippen
durch meinen Kuß aufgefrischt; ich hätte Dich getröstet, aufgeheitert, Dir ein liebes Mährlein vorgeschwatzt,
das müde Auge wach und frisch geküßt, und Dir
Leben von meinem Leben eingehaucht."

„Ach, da wär' ich freilich bald gesundet," entgegnete Amelei, „fast glaube ich's selbst; aber weißt
Du auch, mein Theuerer, daß ich noch immer nicht
ganz genesen bin, daß ich noch immer matt und schwach
mich umher schleppe —"

„Dies Alles soll schwinden," rief Blumtaler mit
Zuversicht, „ich werde es bannen mit dem Zauber-
stab der Liebe; was wär' die Liebe für ein armselig
Ding, wenn ihre Macht über solche Kleinigkeiten nicht
erhaben stände? Komm her, mein süßes Leben; wenn
ich Dich umfasse, fühlst Du nicht die Adern schwellen?"

„Ja, ja, Heinrich, ich fühle!"

„Wie ich Dich an mich presse, schlagen Deine
Pulse nicht voller, kräftiger?"

„Wahrhaftig, sie schlagen voller."

„Und wenn ich Dich küsse, rollt nicht neues Leben durch die Adern?"

„Ja, ja, Heinrich, es rollt, es siedet, es droht
mir den Busen zu zersprengen; o Du, mein süßes Le-

ben! ich kann es nicht aussprechen, ich kann es Dir nicht in Worten wiedergeben, wie wohl mir in diesem Augenblicke ist!"

„Nun siehst Du, theure Amelei, wie unrecht Du thatest, mir Dein Kranksein zu verheimlichen! Doch nun genug hiervon, nun laß uns der trüben Trennungsfrist nicht fürder gedenken; nun, da wir wieder vereint, uns öfter sehen werden, laß uns von unserer Liebe sprechen, von den Gefühlen, die uns beseelen, von den Freuden, die uns erwarten.""

Die Jungfrau sah ihn träumerisch an und erwiederte: „Wie kann ich, mein Geliebter, von dem sprechen, was ich fühle? Sage mir, kannst Du vom Blumenodem reden? Nein, Du wirst wohl seine Wirkung schildern können, aber er selbst, sein geistig Wesen, das ist nichts, und doch so viel! So auch unser Fühlen. Ich kann Dir wohl von der Macht meiner Gefühle erzählen, von ihren Wonnen, ihren Schauern, aber von ihnen selbst nichts; sie sind, wo? Meinst Du vielleicht: im Herzen? — O nein, glaube mir, im Herzen allein sind sie nicht! Sie sind in jedem Nerv, in jeder Faser, in jedem Blutstropfen, sie sind überall, wo Leben ist, sie durchfluthen uns, wie der Blumenodem den Raum, und doch haben sie nirgends einen festen Sitz; es scheint, als ob sie zur Strafe, weil sie aus der Herzensheimath fortgezogen,

zum ewigen Wandeln verdammt seien. Und von diesen geistigen Wesen willst Du sprechen? Nein, mein
Heinrich, das menschliche Wort ist zu unbiegsam,
kalt, um sie so wieder zu geben, wie sie in unseren
Gedanken leben; in dem Augenblicke, wo wir von ihnen sprechen, verlieren sie auch schon ihr luftig äthe-
risch Wesen, und statt des aufgehauchten Odems sinkt
nur starres Sehnen zurück."

„Du hast Recht, Amelei! wir wollen von ihnen schweigen und lieber von unseren künftigen Freuden reden!"

„Warum von den künftigen? Meinst Du, die
Zukunft könne uns größere Freuden bringen, als diejenigen, welche uns die Gegenwart beut? Sieh, ich
stehe hier, Du bist an meiner Seite, ich habe Dich
umfaßt, ich küsse Dich, ich fühle das Pochen Deines
Herzens, ich weiß, daß Du mich liebst! — Das ist
Alles, brauch' ich mehr? Liegt darin nicht Alles, was
unsere Erde Freudiges bieten kann? Sage mir, kannst
Du Dir noch Etwas denken, was Deine Freude
noch zu steigern im Stande wäre? Wenn es ja auf
dieser Erde eine Seligkeit giebt, so genießen wir
sie jetzt in diesem Augenblicke; alles Uebrige, was
noch kommen kann, ist vielleicht im Stande, diese
Wonnen festzuhalten, aber sie zu überbieten, das
glaub' ich nicht! O mein Heinrich! ich rede, wie

ich es fühle, o sprich, fühlst auch Du so wie ich? Ist Dein Wesen auch so ganz von Liebe zu mir durchgeistert, wie das meine für Dich? Sieh, ich liebe Dich, dieses Wort ist mir zu gewöhnlich, ich bete Dich an, dies Wort ist mir zu heilig, es faßt wohl die Verehrung, aber nicht jenes Sonnenfeuer in sich, welches Dir aus meiner Liebe entgegenstrahlt; was soll ich also sagen, wie soll ich es ausdrücken? Ich möchte Dir mit einem einzigen Worte mein Herz erschließen, und wie ich auch sinne, suche, denke, es bleibt mir doch nichts Anderes übrig, als Dir nur immer zuzurufen: Ich liebe Dich — ich liebe Dich unendlich!"

Sie ruhte an seinem Herzen aufgelöst in Thränen und Wonnen. Er küßte sie oft und immer öfter.

„Ja, ja," sprach er zu ihr, „Amelei, Du hast Recht; in diesem Augenblicke sind wir selig, laß uns dem Himmel für seine Seligkeiten danken!"

Beide sanken auf die Knie, hoben ihre Hände zum leisen Gebet —

Juliane trat in's Gemach. — —

— — — — Und nun werfen wir einen aufmerksamen Blick auf die Hauptpersonen unseres Gemäldes.

Das Geschick hat die meisten derselben in Schloß

Eichbüchl oder mindestens in dessen Nähe zusammengeführt.

Juliane, noch unbekannt mit dem gräßlichen Geschicke ihres Gatten, den frevelnden Wünschen eines Fürsten entflohen, das Bewußtsein der reinsten Pflichterfüllung selbst gegen einen Unwürdigen im Herzen, sucht Schutz in diesen Mauern. Sie ist das höchste Muster einer Frau, deren Begriffe über Pflicht und Würde fast an's Ideale grenzen. Ohne ihren Willen wurde sie von einem Elenden gefreit, den sie ihren Gatten nennen mußte; wird ihr nun das Leben angenehmer winken, werden die sündigen Wünsche des Herzogs sie noch erreichen oder nicht?

Ihr zur Seite Katharina, blind am Körper, das Weib, dessen Herz, von den verschiedenartigsten Leidenschaften durchwüthet, einem ausgebrannten Krater gleichen mag, der in schaueriger Oede da liegt. Ihre Liebe hat sie betrogen, und wenn wir uns nicht irren, so scheint der Gegenstand dieser ersten Liebe sich noch des Lebens zu freuen; doch wohin ist die Frucht der sündigen Leidenschaft gekommen, wohin die Folge dieser unseligen Verirrung? — Dieses Weib, welches keine ihrer Leidenschaften, weder die Liebe, noch den Haß und die Rache zu bekämpfen wußte, steht als ein warnend Bild vor uns; ihr Leben ist verunglückt, vereinsamt, der Stahl eines Bösen hängt drohend über ihrem Haupte; blüht für sie noch ein Glück? Und wenn ihr vielleicht noch manche Freude beschieden, wird diese nicht immer einsam bleiben, so wie ein Spätblümchen im Herbste einsam ist?

Neben diesen beiden Frauen steht Amelei, die Jungfrau, lebend und sterbend für den Geliebten, durchfluthet von dem heiligen Strome, welcher die Gefilde ihres Herzens durchwälzt. Ein glücklicher Stern hat ihr einen Jüngling zugeführt, welcher, eben so fühlend wie sie, eben so heilig und rein empfindend, den Tempel ihres Herzens nicht entweiht. Wehe ihr, wenn Heinrich Blumtaler nicht so rein und edel gedacht, wenn er sie nicht geistig und heilig geliebt hätte! Wird die Liebe der jungen Leute über die Parteienkämpfe der Wirklichkeit siegen, wird das Leben sie vereinen oder scheiden? Wir wollen das Beste hoffen!

Johanna, die unschuldige Blume, welche weder Haß noch Leidenschaft kennt, welche rein, wie der Lichtstrahl, mit einer fast überirdischen Geduld ihren Kummer trägt, sie schmachtet in einem verborgenen Gemache des Schlosses. Sie gleicht in unserem Gemälde einem Blumenblatte, welches ohne sein Wollen von der Krone abgerissen, durch den Wind bald hierher, bald dorthin gewirbelt wird; es weiß nicht warum und wozu, es fühlt wohl das Weh, aber es hofft auch auf den Himmel, ohne deffen Willen kein Stäubchen gekränkt wird.

Welchen Contrast bildet fie zu Simon, ihrem leiblichen Bruder! Diefer, wie ein böfer, höhnischer Kobold durch die Scenen unferes Bildes schleichend, hat fich auch auf Eichbüchl eingeschmuggelt. In fein Inneres theilten fich ehedem zwei Leidenschaften: Liebe zu feiner Schwester und Gier nach dem vermeintlichen Schaße der Blinden. Diefe leßte hat aber dem Haffe Plaß gemacht, und diefer der Rache. Katharina zu morden und Johanna zu befreien, war nun das ganze Ziel feines Lebens geworden, war die Aufgabe, welche er fich gestellt hat; wir wollen fehen, ob er fie löfen wird — möge fein einziger Genius „Johanna" ihn vor der böfen That bewahren!

Berthold von Ellerbach ift todt. Ihn hat der Rächerarm der Nemefis erreicht. Schlecht genug, feine Gattin in die Arme des Herzogs führen zu wollen, brachte die von ihm erfonnene Lift ihn felbft in's Verderben; er fiel gewaltfam, jedenfalls gemordet auf Befehl des Herzogs, doch ift er nicht unfchuldig gefallen; an feiner Gattin allein hat er zehnfachen Tod verdient!

Doch halt! wer ift der Mann, der, im tiefen Verließe auf Eichbüchl schmachtend, feit Jahren schon

6*

den herbsten Leiden und Entbehrnissen preisgegeben,
noch immer vergebens nach Freiheit jammert, noch
immer vergebens nach seinen Kindern ruft? — Berthold von Ellerbach hält ihn gefangen, widerrechtlich
eingekerkert, so viel ist gewiß! — Die Welt, selbst
Juliane hält ihn für todt, dies bezeugen ihre eigenen
Worte, welche sie bereits in einer der ersten Scenen
dieses Gemäldes zu ihrem Gemahle sprach: „Ich
werde mich zu bewahren wissen, damit sie mich nicht
unvorbereitet treffe, wie Pup —“ der Zornruf Bertholds ließ sie zwar den Namen nicht aussprechen,
aber Pupelli wollte sie sagen, und Pupelli heißt
ja auch der Gefangene! In welchem Verhältnisse steht
er also zu Berthold und Juliane? Oder sind vielleicht
unter den anderen Charakteren unseres Gemäldes
Personen, die ihn nahe angehen, die einst mit ihm
in Verbindung gestanden? — Wird der Arme den
Augenblick der Freiheit erleben, wird er seine Kinder
noch umarmen? Wer und wo sind sie?

Und nun auch einen Blick ins Ausland.

Die zwei fürstlichen Brüder, deren Einer, Kaiser Friedrich, wie wir auf unserem ersten Blatte
gesprochen, den Stempel der Güte und des Friedens
auf seinem Antlitze trägt, befindet sich in der Neustadt. Der Andere, Herzog Albrecht, Blutgier und
maßlose Herrschsucht verrathend, sitzt in dem gewalt-

sam errungenen Wien.   Und mitten zwischen diesen
schwankt hin und her eine dritte Person, Wolfgang
Holzer, mit einem Doppelgesicht: auf dieser Seite
lächelnd, auf jener eine Fratze schneidend, von Gestalt
zwar klein, aber sich streckend und hebend, und das
Haupt mit keckem Uebermuthe gegen den Himmel keh-
rend, denn in diesem Augenblicke ist er noch immer
Bürgermeister der freien Reichsstadt Wien.

Und wild wogt das Getümmel, und durch die
Menge geht festen Schrittes ein Mann, bewehrt mit
Schwert und Leier, und greift mitten im Gewühle
kräftig in die weithallenden Saiten, und singt im
Liede die Geschichte jener Tage, daß sie hell und
wohltönend bis zu uns herüber dringt.

Dieser Mann ist — Michel Beheim.

Und nun vorwärts! „Mit Gott“ hab' ich gerufen, als ich dies Werk begann, „mit Gott“ ruf'
ich auch jetzt, da ich mich seinem Ende zu nähern
beginne!

Viertes Capitel.

„Bis hierher und nicht weiter!" ruft die Vorsicht selbst dem kühnsten Steiger zu, welcher sich auf die gefahrdrohenden Gletscherhöhen wagt, und er, wenn der Uebermuth sich seiner nicht bemeistert — gehorcht.

Auch Wolfgang Holzer hatte sich hinan gerungen, auch ihm hatte sein Geschick: „Bis hierher und nicht weiter!" zugerufen, aber er schloß sein Ohr, wollte der warnenden Stimme kein Gehör geben, und — das Verhängniß erfaßte ihn. Wie die Sinne eines vom Schwindel Befallenen anfangs immer matter werden, und er zu taumeln und nach einem rettenden Gegenstande zu haschen beginnt, wie er endlich, wenn sie ganz schwinden, jählings hinabstürzt, so auch riß es den Wiener Bürgermeister hinab, hinab in das gräßlichste Verderben!

Um emporzusteigen, hatte Holzers Talent ausgereicht, sein listiger, heuchlerischer Charakter war ganz geeignet, ihn die Höhe, auf welcher er stand erreichen zu lassen; aber um sich o b e n auch zu behaupten, dazu war er zu unruhig, zu unstet, zu habsüchtig.

Scharfsinnig genug hatte er den Herzog dazu benutzt, seine eigenen Wünsche zu erreichen, und, nun dies geschehen war, sollte ihn wieder der Kaiser in seiner Stellung erhalten! Aus dem wilden Treiben Albrechts, so schloß er mit Recht, konnte kein Heil ersprießen, dieser Flammenmensch mußte Alles verzeh=ren, was in seine Nähe kam, ja, es begann dem Bürgermeister sogar um seinen eigenen Raub bange zu werden; er verlor seine Festigkeit, sein Scharfblick nahm ab, seine Schritte wurden unsicher, es fehlte ihnen jene kühne Zuversicht, mit welcher sie vordem gemacht wurden. man vermißte die rasche Entschlossen=heit, mit einem Worte: Wolfgang Holzer wurde von seinem Verhängnisse erfaßt, und von der mühsam erklommenen Scheitelhöhe in den finstern Orkus hin=abgeschleudert.

Jenes Schreiben, welches Blumtaler vom Kaiser an Holzer übermacht hatte, war nur eine Einleitung, zu welcher nun das Werk selbst folgen sollte.

Einige der getreuesten Anhänger des Bürgermei=sters erschienen heimlich in Neustabt, und brachten den Antrag vor, daß sie nun einsähen, wie es mit dem Herzoge kein Bestehen haben könne, indem er

weit davon entfernt sei, den mit dem Kaiser geschlosse=
nen Frieden auch zu handhaben; deshalb möchten sie
gern das gethane Unrecht wieder gut machen, und
in dem Falle, daß ihnen Vergebung und Gnade zuge=
sichert werden würde, wollten sie dem Kaiser die Stadt
Wien wieder in die Hände spielen.

Daß diese Botschaft Friedrich nur angenehm
sein konnte, erhellet auf den ersten Augenblick; die
Unterhandlungen begannen. Es währte lange, bis
man die Hindernisse beseitiget, und die zu nehmenden
Maßregeln beschlossen und festgesetzt hatte. Der
Probst Georg von Preßburg leitete die Unterhand=
lung.

In dem Hause des Bürgermeisters herrschte wäh=
rend dieser Zeit die tiefste Stille, denn Holzer hatte
alle überflüssigen Bewohner für immer entfernt, und
nur einige treue Diener behalten, denen er unbedingt
vertrauen konnte; sobald es aber zu dunkeln begann,
sah man Bürger in das Haus eilen, und dasselbe
wieder verlassen, sie kamen entweder einzeln oder in
kleinen Gruppen, und schieden auch so wieder von
dannen. Es trat zwischen einem Theile der Bürger=
schaft ein eigener Verband ins Leben, dessen Haupt
Holzer war, welch Letzterer nun wieder für den Kai=
ser zu handeln begann.

An einem Abende befand sich der Bürgermeister in seinem Gemache, da trat einer der Diener herein.

Holzer, dessen ganzes Wesen seit einiger Zeit eine besondere Unruhe an den Tag legte, erhob sich rasch, und sah mit einem fragenden Blicke auf den Hereingetretenen.

„Gnädiger Herr!" —

„Nun, was soll's, schnell, heraus mit dem Wort—"

„Ein Fremder will mit Gewalt zu Euch dringen—"

„Ein Fremder? Sein Name —"

„Den will er nicht nennen."

„Wohlan, so laß ihn vor!"

„Er sieht aber sehr ärmlich und elend aus."

„Nur schnell, ich will ihn sehen!"

Der Diensteifrige entfernte sich. Nach einigen Augenblicken humpelte die zerlumpte Gestalt eines Bettlers herein, welche, sich dem Bürgermeister nähernd, die Gugel vor denselben hinhielt, und mit flehendem Tone winselte: „Ein Almosen, gnädiger Herr! ich bitte Euch recht sehr, ich habe zwar weder Weib noch Kind, aber ich bin mir selbst genug — "

Er hielt inne — Holzer schmunzelte und winkte dem Diener sich zu entfernen; kaum war dies geschehen, so sprang der Bettler zur Thüre und schob den Riegel vor, dann streckte er sich wie Jemand, der lange in einer unbequemen Lage zuzubringen gezwungen war, und sprach: „Dem Himmel sei es gedankt! hier wär' ich, wenn ich auch nur schon wieder wohlbehalten daheim wäre."

„Wahrhaftig," entgegnete Holzer lachend, „ich selbst habe Euch in dieser neuen Maske nicht erkannt, um so weniger habt Ihr dies von Andern zu befürchten, denen Ihr weniger bekannt seid.

„Vorsicht schadet nicht," entgegnete der Fremde, „sie ist um so nothwendiger, da es sich eben so um meine und um Euere persönliche Sicherheit, als überhaupt um das Gelingen dieser für das ganze Oesterreicherland so wichtigen Angelegenheit handelt.

Die beiden Männer ließen sich an einem Tische nieder. Werfen wir auf den Fremden einen aufmerksamen Blick, so finden wir in ihm eine corpulente Figur, etwas scharf markirte Gesichtszüge, ein Paar lebhafte schwarze Augen, Beweglichkeit in seinem übrigen Wesen, die gehobenen Lippen, der braune Teint, das glänzende Haar, und die etwas hervortretenden Augen verrathen den Magyaren; wir sind diesem Manne im Laufe unseres Gemäldes noch in keiner Stellung begegnet, wo er unsere Aufmerksamkeit besonders auf sich gezogen haben würde — obwohl er des Kaisers Rath und der Kaiserin Kanzler gewesen, und die Leiden der Belagerung der Burg mitgetragen hatte. Es war der Probst Georg von Preßburg.

„Nun sprecht, Herr Rath, was habt Ihr Wichtiges mitgebracht?"

„Diesmal mehr als Ihr wähnt."

„Kommt Ihr aus der Neustadt?"

„Gerades Weges. Ich glaube, ich werde nun bald nicht mehr nöthig haben, die Stadt zu verlassen, bis sie ganz in unseren Händen sein wird, deshalb hab' ich mir auch ein verborgenes Stübchen gemiethet, wo ich unbekannt bleiben will, bis dies geschehen sein wird."

„Habt Ihr die Anstalten hierzu schon getroffen?"

„Was unsern Theil anbelangt, ja! Hört mich an. Ihr wißt, daß der Herzog bisher noch jedes geschlossenen Friedens gespottet, und ihn auch immer, so oft es ihm nur genehm war, gebrochen hat. Demzufolge hat unser kaiserlicher Herr beschlossen, den unruhigen Bruder durch Zwang dahin zu verhalten, dem Lande den Frieden zu geben, und ihn aber auch zu wahren. Um jedoch jedes Blutvergießen zu vermeiden, soll diesmal List die Stelle der Gewalt vertreten."

„Darüber sind wir schon einig geworden," nahm der Bürgermeister das Wort, „denn befindet sich der Herzog in kaiserlicher Gewalt, so wird es meine Sorge sein, auch die Wiener-Stadt dahin zu bringen,

dem kaiſerlichen Herrn wieder Treue und Gehorſam
zu ſchwören."

„Hört mich alſo weiter an: ich glaube es nicht
mehr erwähnen zu müſſen, wie unſer guter Gebieter
den reuigen Wienern Verzeihung und Vergebung im
weiteſten Sinne des Wortes angedeihen laſſen will;
er meint, die Städter würden nun zur Einſicht gekommen ſein, wie es nie an ihm allein gelegen war,
wenn ſich Oeſterreich nicht des Friedens erfreute, der
doch dem Lande und dem Volke ſo nothwendig wäre.
Darum muß auch ihnen Alles daran gelegen ſein,
durch ihre Hülfe die Wendung der Dinge mit hervor-
zubringen. Euer Vorſchlag in Bezug auf den Herzog iſt angenommen. Er ſoll in der Burg überfallen
und aufgehoben werden. Zu dieſem Zwecke haben
wir folgende Vorkehrung getroffen. Von dem in der
Nähe Wiens hauſenden, kaiſerlichen Kriegsvolke, welches unter dem Befehle des Hauptmannes Ulrich
von Grafeneck ſteht, werden am Charſamſtage in
der Früh fünfhundert Mann unter dem Befehle des
Herrn Auguſtin Triſtam vor den Zäunen Wiens
anlangen, welche in die Stadt zu bringen Eure
Sorge ſein muß. Ich ſelbſt werde mit den Kriegs-
leuten ankommen, und dann hier verbleiben. Es
verſteht ſich von ſelbſt, daß kein Bürger, ob arm oder
reich, von den Söldnern nur im Entfernteſten geſchä-

bigt, und daß Niemand der Städter in seiner Freiheit beeinträchtiget werden soll. Sind wir mit unseren Getreuen in der Stadt, so habt Ihr für die augen=blickliche Verbreitung Eurer Absicht unter der ganzen Bürgerschaft Sorge zu tragen, damit der Angriff ge=gen etwaige Widerspenstige, auf diese Weise unterstützt, nicht mißlinge."

Der Probst schwieg. Holzer schien eine weitere Fortsetzung seiner Rede zu erwarten, als diese aber nicht erfolgte, und sein lauernder Blick den kaiserlichen Rath vergebens hierzu aufforderte, nahm er das Wort: „Eure Maßregeln sind ganz in dem Sinn getroffen, wie ich sie vorgeschlagen. Habt Ihr mir von unse=rem kaiserlichen Herrn sonst nichts zu hinterbringen?"

Der Ton dieser Frage machte den Probst ein wenig stutzen; plötzlich erwiederte er lächelnd: „Nun, da wir über Alles einig geworden, habe ich Euch noch ein Schreiben zu übergeben, welches mir von kaiserlicher Hand anvertraut wurde."

Der Probst zog dasselbe bei diesen Worten her=vor — Holzer griff mit Hast darnach — las — und steckte es dann zufrieden unter seine verborgenen Papiere.

Diese Zeilen enthielten eine kaiserliche Verschrei=bung an den Bürgermeister Holzer im Werthe von sechstausend Gulden für die Auslieferung des Herzogs.

„Seid Ihr nun zufrieden?" fragte der Probst.

„Vollkommen!" entgegnete der Habfüchtige, „ich glaube, unfer kaiferlicher Herr foll es auch mit mir fein."

Der Bote erhob fich — Holzer that ein Gleiches — nach einer Weile fchlich die zerlumpte Geftalt des Bettlers, eben fo gebückt und mühfelig, wie fie gekommen, auch wieder von dannen.

Holzer blieb allein.

Sein Auge ruhte auf einem Bilde, welches, feinem Sitze gegenüber, an der Wand hing. Der Stoff des Gemäldes war der römifchen Sittengefchichte entlehnt, und ftellte den Kampf eines zum Tode verurtheilten Sclaven mit einem Löwen dar, welches Schaufpiel zur öffentlichen Beluftigung in einer Arena ftattfand. — Der Bürgermeifter betrachtete heute das Bild aufmerkfamer als fonft; fo wie es oft im Leben gefchieht, daß man taufendmal an einem Gegenftande gleichgültig vorübergeht, bis endlich eine befondere Veranlaffung unfere Aufmerkfamkeit auf denfelben lenkt, fo gab auch jetzt der Inhalt der erwähnten Darftellung den Gedanken Holzers eine Richtung, deren Spur er immer weiter folgte, und deren Intereffe ihn fo einnahm, daß er, ohne es zu wollen, ein Selbftgefpräch begann, welches feine Gefühl= und Denkweife deutlich ausprägte; er fprach: „Nur vorwärts — nicht ermüden, nicht ermatten — der Löwe ist ein reißend Thier, nur einen Augenblick nachgegeben, und Du bist seine Beute geworden. Ha, Sclave! ringe, kämpfe; wie wild er die Bestie anblickt, wie gespannt seine Züge, wie straff seine Glieder gedehnt sind; der Körperbau verräth Kraft — wird er siegen, oder unterliegen? — Der Künstler hat ein anschaulich Bild gemalt, ob's ihm aber auch wirklich nur darum zu thun gewesen ist, diese gräßliche Scene jener Zeit darzustellen? Oder hat er wirklich mit dem Gemälde einen andern, verborgenen Sinn verbunden? — Der Schelm, fast möchte ich glauben, es errathen zu haben. — Dieser Löwe ist das Schicksal, und der Sclave ist der Mensch, der zum Sterben verurtheilte Mensch; und wie der Sclave mit dem Löwen, so muß der Mensch auch mit dem Geschicke ringen, um ihm sein Leben abzukämpfen, und so wie dort die Römlinge, so bilden hier unsere Zeitgenossen die Zuschauer und belustigen sich an dem Kampfe eines Nebenmenschen, und scheinen mit Ungeduld des Augenblickes zu harren, in welchem dieser dem grausamen Gegner erliegen wird. Aber sie sollen sich nicht freuen! Ich will, ich werde nicht unterliegen, ich werde siegen, so wie ich bisher gesiegt. Vorwärts, die neuen Fäden sind ausgeworfen, ein neu Gewebe soll begonnen werden. Ich — ich habe dem Her-

zoge die Wienerstadt in die Hände gespielt, und ich
will sie ihm wieder entwinden. Er wähnt, ich wär'
ein Werkzeug in seinen Händen gewesen, o Täuschung!
er war es in den meinen. Er war die Treppe, auf
welcher ich hinangestiegen, hat man die Höhe erreicht,
so wird die unnütze Stufenleiter bei Seite geschoben.
Er muß weichen! Wie lange ist es her, und schon
zählt er der neuen Feinde so viele unter den Bürgern;
er hat es nie verstanden, gewonnene Herzen festzu=
halten, er gleicht dem wilden Renner, der heute seinen
Herrn durch Schnelle aus drohender Gefahr errettet,
und ihm morgen durch einen Schlag seines Hufes das
Bein zerschmettert. — Doch nun mit Ueberlegung
und Ruhe an's neue Werk gegangen: der Schlag
muß plötzlich, wie aus heiterem Himmel kommen, der
Kaiser wird triumphiren, und ich — ich werde Ernte
halten!"

Der Bürgermeister schwieg. Er erhob sich vom
Sitz und schritt einige Male durch's Gemach, da
dröhnte außen Waffengerassel und Sporngeklirr, und
gleich darauf trat durch die weit geöffnete Thüre der
greise Hanns Kling von Urschendorf in's Ge=
mach.

Wir glauben hier erinnern zu müssen, daß der
alte Ritter von jeher eine unüberwindliche Abneigung
gegen Alles hegte, was nur den Namen eines Stäb=

ter führte. Dieser Widerwille schrieb sich von dem
Augenblicke her, wo er zur Einsicht gelangt war, daß
dem ritterlichen Adel nur von dem aufstrebenden
Bürgerthume jener empfindliche Schlag versetzt wurde,
an welchem er seit längerer Zeit schon dahin siechte,
und dem er auch, wie voraus zu sehen, unwiderbring-
lich erliegen mußte. Diese feindselige Stimmung war
seit den Vorfällen des Jakobi-Landtages nur gestei-
gert worden, und war auch zum Theil Ursache, daß
der Urschendorfer die Belagerung der Wienerburg
nicht unterstützte, obwohl die meisten seiner Waffenge-
nossen bei derselben anwesend waren. Diese feindselige Stimmung ließ ihn auch auf den Antrag Stra-
hembergs, mit gen Wien zu ziehen, diesem die Antwort
geben: „Schön Dank, mein Freund! ich ziehe nicht
mit, ich mag mit den Städtern nichts zu schaffen haben; hätten sie den Kaiser nicht in die Stadt gelassen,
so brauchten sie jetzt keine Belagerung, um ihn aus
derselben zu vertreiben." —*) Wir glauben kaum,
daß Hanns Kling, diesemnach zu schließen, so bald
zur Stadt gekommen wäre, wenn ihn nicht die Angelegenheit der Ellerbach dahin geführt hätte. Es
war nicht so sehr Freundschaft zu Berthold, als viel-
mehr seine echt väterliche Liebe für Juliane, die ihn

*) Siehe Band II, dritte Abtheilung, Capitel 5.
Buch v. den Wienern. III.   7

hier seine eigene Stimmung vergessen ließ. Wenn nun diese schon den Städtern im Allgemeinen so ungünstig war, so mußte dies gegen Einzelne um so mehr der Fall sein, besonders aber gegen solche, von denen es bekannt war, daß sie durch ihr ehrgeiziges Vorwärtsstreben den Adel zu überflügeln, und beim Besitz gewisser Aemter und Würden diesen gering zu achten gewohnt waren. Zu diesen gehörte Wolfgang Holzer.

Der alte Edelherr hegte von jeher einen finstern Groll gegen diesen Mann. Das barsche und rauhe, aber biedere und offene Wesen des Urschendorfers konnte auf den Charakter eines Mannes, wie jener des Bürgermeisters, nur mit Verachtung hinabblicken. Er mied es daher, mit ihm persönlich zusammen zu treffen, wenn es nicht gerade der allgemeine Zweck seiner Partei erheischte; er konnte es dem Herzoge nie recht vergeben, einen solchen Mann zu seinem Hauptwerkzeuge gegen den Kaiser erkoren zu haben.

Holzer seinerseits war zu klug, um dies Alles nicht schon längst wahrgenommen zu haben, allein er war auch zu vorsichtig, um es den Ritter merken zu lassen. Er benahm sich gegen ihn freundlich, ohne sich ihm aufzubrängen, er suchte ihn nicht auf, und ging ihm eben so wenig aus dem Wege, kurz er that

Alles, um den Mann nicht noch mehr gegen sich
aufzubringen.

Sein Staunen, als der alte Kling bei ihm
eintrat, war daher eben so groß, als der Widerwille
des Letzteren, da er diesen Schritt zu thun gezwungen.
Holzers Miene wurde die freundlichste, sein Wort
süß, seine Aufmerksamkeit gespannt, sein Blick lauernd.

Der Greis trat auf, daß die Dielen erdröhnten,
und sprach mit seiner rauhen Stimme: „Gott zum
Gruß, Herr Bürgermeister!"

„Willkommen! tausendmal willkommen in meinem Hause!" entgegnete Holzer überfreundlich; „wahrhaftig! solch seltenen Gast hätte ich heute nimmer-
mehr erwartet."

„Selten?" brummte der Ritter, „ich glaube, ich
spreche heute zum ersten Male bei Euch ein."

Holzer kniff die Lippen zusammen und erwiederte
sich bezwingend: „Ihr wollt damit sagen —"

„Daß dies noch etwas mehr als selten ist," unterbrach ihn der Urschenborfer; „doch das hat nichts
auf sich," setzte er rasch hinzu, und dachte dabei:
der Bär kann auch einmal in einem Fuchsloche
wühlen.

Der Bürgermeister schien von dem Allen nichts
zu bemerken und entgegnete: „um so viel mehr Ehre
für mich, wenn es zum ersten Mal ist."

7*

Hanns Kling gab keine Antwort. Er war in ein augenblickliches Nachdenken versunken. Es schien ihn fast zu gereuen, daß er das Haus dieses Mannes betreten hatte; in diesem Momente däuchte ihm derselbe noch weit widerlicher, noch unausstehlicher; fünf Minuten früher, und er wäre noch außen vor der Thüre umgekehrt, aber jetzt war es fast schon zu spät, auch fiel ihm Juliane's Lage ein, und er blieb; daß er nicht ging, dies durfte die Freifrau als das größte Opfer ansehen, welches ihr der väterliche Freund bringen konnte.

Dieses Schweigen dauerte, wie gesagt, nur einige Augenblicke, dann wurde es von dem Urschendorfer unterbrochen: „Herr Holzer! ich verstehe nicht viel Worte und viel Umwege zu machen. Ich pflege immer auf mein Ziel geraden Weges loszusteuern. Drum kurz und gut; wißt Ihr warum ich hier bin?"

Der Zwang, mit welchem der Greis seine Worte herauspreßte, und dessen Benehmen überhaupt, gab dem listigen Holzer zu erkennen, daß er einen Mann empfange, den nur die größte Nothwendigkeit zu ihm bemüßiget haben konnte; demgemäß änderte auch er in etwas seinen Ton und sprach mit mehr Würde als früher: „Wie soll ich dies wissen, Herr Ritter?"

„Ich werde Euch nur einen Namen nennen, und Ihr werdet im Klaren sein."

„Nun wohlan, laßt hören."

„Berthold von Ellerbach!"

Holzer veränderte keine Miene, obwohl er sogleich den Grund des Besuches durchschaute.

„Nun, Herr Bürgermeister?"

„Aufrichtig gesprochen, muß ich Euch jetzt noch gestehen, daß ich noch immer nicht begreife —"

„Alle Wetter! so muß ich denn die Mähre zum hundertsten Male wiederholen; ich suche Berthold von Ellerbach, meinen Waffen= und Kampfgenossen!"

„Ihr werdet wohl von seinem Verbrechen gegen den Herzog gehört haben?"

„Das habe ich, und weiß auch, daß ihn der Herzog verhaften ließ. Allein ich befinde mich jetzt durch Wochen schon hier in Wien, um über sein Schicksal Gewißheit zu erhalten, aber Niemand kann mir Auskunft geben; der Herzog will mich nicht vor sich lassen — ich ahne Unheil, aber ich will Gewißheit haben."

Während der Greis noch sprach, war in der Seele Holzers ein Entschluß empor gekeimt, den er eben so rasch ausführte, als er erwacht war. Die Gelegenheit, dem Herzoge einen mächtigen Bundesgenossen zu entziehen, und diesen vielleicht dem Kaiser zuzuwenden, war da, er wollte sie benutzen.

„Herr Ritter!" sprach er nach einigem Nachdenken, „Ihr seid mir bisher immer so schroff und
abstoßend zur Seite gestanden; ich wüßte mich nicht
zu entsinnen, mir solches Benehmen von Euch verdient zu haben, und ertrug es deshalb gelassen und
geduldig. Nun plötzlich kommt Ihr, um mich über
einen Gegenstand zu befragen, über welchen alle Andern vielleicht keine Auskunft geben können, und
der Herzog keine geben will; es muß also in jedem
Falle ein Geheimniß sein, dessen Lösung Ihr von
mir fordert; von mir, dem Ihr bisher nicht vertraut,
fordert Ihr plötzlich so großes Vertrauen! Gestehet
aufrichtig, was würdet Ihr an meiner Stelle thun?"

Der Bürgermeister hatte nicht ganz Unrecht.
Der Urschendorfer sah dies ein und gestand es sich
im Stillen auch zu.

„Ihr thut auf der einen Seite zu wenig, und
auf der andern zu viel," antwortete Hanns Kling; es
ist wahr, ich mochte mich mit Euch nicht befreunden,
denn ganz kurz gesprochen — Ihr gefallt mir nicht;
aber deshalb weiß ich mich auch nicht zu entsinnen,
daß ich Euch schroff und abstoßend gegenüber gestanden wäre; auch meine ich, daß es immer besser ist,
seine Gefühle gegen Jemanden offen zur Schau zu
tragen, als sie zu verbergen, und die böse Absicht hinter eine freundliche Larve zu verstecken. Was die

Urſache meines Hierſeins anbelangt, ſo haben Eure Worte meinen Verdacht nur noch mehr beſtärkt, und es muß mir jetzt um ſo mehr daran gelegen ſein, den Schleier dieſes unſeligen Ereigniſſes zu lüften. Ich betrachte den Weg zu Euch als einen vergeblichen —"

Da der Ton dieſer Worte den Entſchluß, ſich zu entfernen, andeutete, ſo unterbrach ihn Holzer raſch, indem er einzulenken begann: „Und wenn er dies doch nicht geweſen wäre?"

„Dann ſoll's mich freuen, Euch offener zu finden, als ich vermuthen durfte."

„Darf ich Euch vertrauen, Herr von Kling?"

„Ob Ihr mir vertrauen dürft? Donnerwetter! für was haltet Ihr mich, Herr Bürgermeiſter? Bin ich ein altes Weib, oder ein Schelm, der wetterwendiſch wie 'ne Windfahne iſt? Ich bin ein Mann, und kann ſchweigen wie ein Mann! Hierauf mein ritterlich Wort und meinen Handſchlag!"

Holzer nahm Beides an und fuhr fort: „Nun ſo erfahrt denn, Berthold von Ellerbach iſt nicht mehr unter den Lebenden."

Der Urſchendorfer ſchrak zuſammen: „Wär's möglich? Berthold ermordet? Sprecht, redet, iſt es wahr? Ich kann es kaum glauben!"

„Und doch iſt es ſo," antwortete Holzer. „Der Herzog hat Gericht über ihn gehalten, und das Ver-

brechen des Ellerbach mit Blut gesühnt. Bisher wissen
nur Wenige von dem Vollzuge des Strafgerichts, und
der Herzog selbst scheint wichtige Ursachen zu haben, dasselbe geheim zu halten; denn eine Gewaltthat, wenn
ich es auch keinen Mord nenne, bleibt es immer; er
fürchtet den Abfall seiner Anhänger unter den Landherren, sowie er sich bereits durch anderweitiges Thun
viele Bürgerherzen entfremdet hat."

Hanns Kling schüttelte unwillig das Haupt.
„Auf diese Weise freilich," sprach er nach einigem
Bedenken; „wer wird mit der Hyäne Gemeinschaft
haben wollen, wer wird sich in die Nähe des blutgie-
rigen Tigers wagen? O, ich sehe ihn schon von
Vielen verlassen, fast vereinzelt da stehen, kämpfen und
unterliegen —"

„Und auf der andern Seite den Kaiser," ergänzte
Holzer, „verstärkt durch den Uebertritt der Herzoglichen —"

Der Blick des Bürgermeisters ruhte spähend auf
dem Antlitze des Urschendorfers.

Dieser unterbrach ihn rasch und rief: „Durch den
Uebertritt der Herzoglichen? Wie meint Ihr dies?"

Der Andere entgegnete gleichgültig und unbefangen: „Wie kann ich es wohl meinen? Des Herzogs Gegner müssen wohl des Kaisers Freunde
werden."

Der Greis fuhr zusammen, sein Blick streifte den Bürgermeister wie ein Blitz. „Ein Schuft thut so, wie Ihr gesprochen," rief er mit Donnerstimme, daß das Gemach erdröhnte. „Ich merke, wo es hinaus soll; Ihr wollt mich auskundschaften und meine Meinung wissen? Wohlan! so erfahret sie denn, und so wie Euch, steht sie von nun an Jedem, selbst dem Herzoge zu Gebote. Ich bin nicht mehr für den Herzog, weil ich mit Mördern nicht gemeinschaftliche Sache haben mag, ich wende mich ab von ihm, weil er sich hinter die Städter gesteckt, und ich traue weder einem Metzger, noch einem Kramherrn was Gutes zu, wenn sie dem Ritter gleichgestellt sind. Ich sage mich also los von den Albrechtern, aber deshalb will ich doch kein Kaiserer werden! Kann ich jener Partei nicht angehören, so widerstrebt mein ganzes Herz, sich dieser zuzuwenden. Warum? Ich will's Euch sagen: hier ist es nicht die Person des deutschen Kaisers, die mich abstößt, nein, hier sind es wieder die Räthe, die ich hasse, verabscheue, deren Thun mir ein Gräuel in den Augen ist. Da hocken sie Tage lang beisammen und rathen und erwägen, und kommen erst zu einem Entschlusse, wenn es schon lange zu spät geworden, und der gute Kaiser, — denn das bleibt Friedrich mit allen seinen Mängeln immer — ja, der gute Kaiser muß die Folgen ihrer

Dummheit tragen. Also, nun habt Ihr's vernommen: kein Albrechter, aber auch kein Kaiserer, sondern immer nur der Edle, Hanns Kling von Urschendorf! — Und somit Gott befohlen. Auf Nimmerwiederfehen!"

Der Ritter spornte wie ein Wilder aus dem Gemache.

Holzer sah ihm lächelnd nach: „Ich Thor! wie konnt' es mir nur in den Sinn kommen, einen Bären mit einem Netze fahen zu wollen!! Doch nun rasch an meinen Plan. Nur Einige wissen, was ich im Sinne führe, die Andern, der ganze Haufe muß Maschine sein. Ich glaube nicht, daß ich sie jetzt so leicht wieder auf die andere Seite bringen könnte, drum will ich sie, ohne daß sie es wissen, vom Herzoge entfernen, damit sie dann gleichsam gezwungen sind, sich dem Kaiser zuzuwenden. — Was aber mit den Wenigen thun, die mit Leib und Seele an Albrecht hangen? Mit jenen Räthen: dem Schönberger, Kirchheimer, Liebhart, Haug und den Anderen? — Stürzen! — Die müssen in den Augen der Andern verdächtigt und von ihnen selbst verurtheilt werden — so — so nur kann es gehen — nur kurze Zeit — und mein Plan ist wieder gelungen, ich werde triumphiren wie bisher. Der Kaiser wird in Wien einziehen, und ich — ich werde unter seinen Räthen sitzen!"

Es war ein reizendes Bild, welches sich der ehemalige Ochsenhändler entworfen hatte.

Wir wollen sehen, ob er es auch zur Vollendung bringt. — — — — — — — — —

Hat Jemand von meinen Lesern schon die Thätigkeit einer Spinne bei dem Weben ihres Netzes belauscht? Gerade eine solche Beweglichkeit, ein solches Schleichen, ein solches Hinterlassen kaum merkbarer Spuren wurde jetzt an dem Wiener Bürgermeister bemerkt.

Die Nacht ist herangebrochen.

Die Straßen Wiens haben sich vereinsamt.

Kein Licht fällt durch die Fenster, auch die Häuser scheinen ihre Augen geschlossen zu haben.

Gegen die Freiung zu schleichen einzelne Gestalten, ihr Weg führt gegen das Haus des Bürgermeisters. Drei leise Schläge öffnen ihnen die Thüre desselben; kaum sind sie eingetreten, so schließt sich hinter Jedem der Eingang.

Zwei große, durch einen Saal getrennte Gemächer nehmen die Angekommenen auf. Es sind Rathsherren, dann von den Bürgern die Aeltesten und Angesehensten der Gilden.

Ohne daß sie es wissen, ist die Einleitung getroffen, daß die Vornehmeren der Gäste in eines der erwähnten Gemächer, und die Geringeren in das andere zusammengebracht werden. In dem letzteren herrschte die gespannteste Erwartung. Niemand kannte die Ursache, warum man vom Bürgermeister zur nächtlichen Weile so heimlich hierher beschieden worden sei.

„Was mag er nur haben wollen?" fragte ein Kramherr.

„Jedenfalls etwas Wichtiges!"

„Aber dieses geheimnißvolle Wesen?"

„Deutet auf Vorsicht!"

„Ich bin wahrhaftig neugierig."

„Ich kann in mir eine gewisse Unruhe nicht unterdrücken."

„Unruhe? Warum denn unruhig? Der Holzer hat es mit uns Bürgern noch immer gut gemeint."

„Wem, als ihm, verdanken wir es, daß wir des kaiserlichen Regimentes los geworden sind?"

„Das ist wahr; aber Vielen will es bedünken, als ob es jetzt mit uns auch nicht besser stände, als ehedem."

„Alle Wetter! jetzt hab' ich einen Einfall!"

„Da seht, was der Mathis Rebl für 'ne Freude hat, wenn ihm einmal was einfällt."

„Nun, so laßt hören!"

„Scherz bei Seite!" sprach der Bindermeister mit Ernst, „durch Eure früheren Reden bin ich auf den Gedanken gekommen, daß der Holzer uns vielleicht in dieser Angelegenheit hierher beschieden hat."

„In welcher Angelegenheit?"

„Nun, ich meine, daß uns der Herzog wieder eine neue Abgabe aufbürden will."

„Das wäre schändlich!"

„Wir sind ohnedem schon gequält genug!"

„Und nun noch frische Lasten!"

„Wer weiß, ob es auch wahr ist; der Binder hat vielleicht nur aus hohlem Fasse gesprochen."

„Ich wünschte nicht, daß dem so sei. Es wäre nicht gut."

„Freunde! laßt uns vor der Hand keinem bösen Gedanken Raum geben, es kann nimmer lange währen, der Holzer wird den Schleier lichten und wir werden Alles erfahren."

Von der Schottenkirche ertönte die Mitternachts-stunde.

Jetzt öffneten sich die Thüren der beiden Gemächer, welche in den Saal führten. Dieser war glänzend erleuchtet, und die Fenster mit schwarzen Tüchern dicht verhangen.

„Wollt Ihr hereintreten, liebe Herren?" rief der

Bürgermeister nach beiden Seiten, und die Bürger füllten herbeiſtrömend den Saal.

Es mochten ihrer bei fünfhundert ſein.

Da von dieſen nur Einige in Holzers Unternehmen eingeweiht waren, und ſelbſt dieſe ihre Mitkenntniß verheimlichten, ſo herrſchte unter den Andern die geſpannteſte Neugierde, und ein tiefes Schweigen bezeichnete die Ungeduld, mit welcher man der nun folgenden Erklärung des Bürgermeiſters entgegen ſah.

„Vor Allem, meine lieben Herren!" begann Holzer, „muß ich Eure Nachſicht anſuchen, daß ich dieſen Augenblick ſo lange hinaus geſchoben. Wie Ihr ſeht, habe ich den ganzen Rath, die Zunftmeiſter, und die Vornehmſten der Gilden hierher beſchieden, um Ihnen etwas Wichtiges mitzutheilen, allein noch ſind nicht alle Herren vom Rathe anweſend —"

„Wer fehlt denn?" fragte Wolfgang Hollabruner.

„Der Stadtrichter Lorenz Schönberger, der Kirchheimer, dann der Haug, Krempel, Liebhart und Storch."

Die Namen dieſer wurden von Oswald Reicholf von einem Papiere herabgeleſen.

Unter den Anweſenden entſtand ein leiſes Murren, welches der Holzer unterbrach: „Ich bin zwar

der Meinung, daß die noch Fehlenden eintreffen werden, allein um so zu sprechen, wie ich fühle, wünschte
ich fast, daß dies für heute nicht der Fall sein möchte."

„Und warum, Herr Bürgermeister?" fragte der
Oedenacker.

„Weil ich wünschte, daß jene Worte, welche ich
heute hier im geschlossenen Kreise zum Besten unserer
Stadt und ihrer Bürger zu sprechen gesonnen bin,
sonst Niemand erfahren möge. Von den fehlenden
Rathsherren aber habe ich die Ueberzeugung, daß sie
Alles, was nur immer im Rathe, und wenn auch
noch so geheim, beschlossen werden möge, als besondere Freunde des Herzogs, diesem auch augenblicklich
zutragen.,,

Ein Murren entstand.

„Welche Untreue!" rief Wolfgang Hollabruner
mit kräftiger Stimme, „dann dürfen wir uns freilich
nicht wundern, wenn die Unruhen außer dem Weich-
bilde unserer Stadt kein Ende nehmen; solche Verräthereien sind die Quellen derselben, und ich glaube,
Herr Bürgermeister, daß es Eures Amtes wäre, die
Beschuldigten solcher Handlungsweise halber zu be-
strafen."

„Ja, ja," sprachen mehrere Andere, „sie verdienen Strafe. Verrath an Mitbürgern ist ärger als
jener an Fürsten!"

„Deshalb," nahm Holzer wieder das Wort, „bin ich auch der Meinung, daß jene, wenn sie auch jetzt noch eintreffen würden, unserem heutigen Rathe keineswegs beiwohnen sollten."

„In keinem Fall!" entgegneten mehrere Stimmen.

„Sie müssen festgenommen werden!" versetzten Andere.

In diesem Augenblicke hörte man unten Stimmen.

„Es kommen Leute," sprach Holzer, „nur sie können es sein. Sie dürfen uns hier nicht beisammen finden, drum will ich es verhindern, daß sie diesen Saal betreten. Harret einen Augenblick in Geduld, ich werde alsogleich wieder in Eurer Mitte sein."

Er eilte auf den Gang hinaus — — — — — — — — — — Eine halbe Stunde früher!

Nicht weit von dem Hause des Bürgermeisters schleicht spähend ein Mann auf und nieder.

Sein Blick ist aufmerksam auf den Eingang des erwähnten Gebäudes gerichtet.

„Hier ist's nicht richtig," brummte der Mann vor sich hin, „'s ist eine geheime Zusammenkunft — Gilg hat recht erspäht — und ohne mich? Er traut mir nicht mehr, der Schelm hat eine feine Spürnase; aber ich hab' sie auch. Was er nur wieder vorhaben mag? Es sind nur Albrechter, die ich hineinschleichen fah; aber warum fo geheim? — Ohne mich? Der Gedanke will mir nicht aus der Seele. Glaubt er, die Zeit meines Einfluffes fei vorüber? Oder denkt er auch ohne mich an's Ziel zu kommen? Ho, ho, Herr Bürgermeifter! Nicht fo vorfchnell! Jakob Mainhart ift noch immer der Alte. War der Stein Euch zu fchlecht, um ihn aufzuheben, bei Seite gefchoben will er nicht fein, drum ftolpert über denfelben und brecht das Bein!"

Die Glocke fchlug zwölf.

Eine Gruppe von fechs Perfonen näherte fich dem Haufe des Bürgermeifters.

Jakob Mainhart ging auf fie zu.

„Guten Abend, Ihr Herren!"

„Guten Abend!"

„Ei fieh da, Jakob Mainhart!"

„Wohin führt der Weg?"

Die Anderen gaben ausweichende Antworten.

„Macht keine Faren," rief der Metzger, „und haltet die Fauft nicht vor den Wald, es ift vergebene Mühe. Ihr geht zum Holzer, fo wie die Andern."

„Wenn Ihr es wißt, warum fragt Ihr?"

„Weil ich Euch auf Etwas aufmerkfam machen wollte."

„Nun, laßt hören."

Buch v. den Wienern. III.   8

„Wie kömmt es, daß Ihr Herren jetzt erst daher geschlichen kommt?"

„Weil die Mitternachtsstunde festgesetzt ist."

„Das ist sonderbar, die Andern sind aber bereits seit einer Stunde im Hause."

Den Räthen fiel diese Bemerkung gleichfalls auf.

„Warum sind wir um eine Stunde später beschieden?" fragte der Kirchheimer.

„Zufällig kann dies nicht gekommen sein!"

„Sollte der Holzer —"

„Alle Hagel!" rief der Liebhart, „je länger ich über die Sache nachsinne, desto verdächtiger däucht sie mir."

„Kehren wir um —"

„Er soll den Rath am Tage und nicht in der Nacht versammeln."

„Nein, zurück gehen wir nicht. Wir müssen wissen, was hier vorgeht."

„Ich trage kein Verlangen darnach!" rief der Liebhart.

„Ich auch nicht," setzte der Storch hinzu.

„Da will ich Euch einen Rath geben," sprach der schielende Metzger; „bleibt Ihr Beide hier außen, und die übrigen vier Herren mögen eintreten. Wir harren indessen unten das Ende der Versammlung ab, und wenn dieses erfolgt, so werden die Zurücklehrenden uns bort am Ed der Schottenkirche finden. Kommt Ihr aber nicht, so soll uns dies als ein Zeichen gelten, daß Euch etwas widerfahren sei, und wir werden dann auf Mittel sinnen, Euch zu helfen; vorausgesetzt, daß Euch noch geholfen werden kann."

"Es wird nichts so Arges sein!" lächelte der Stadtrichter Schönberger, "es bleibt bei dem, wie Ihr gesprochen, und nun, Ihr Herren! kommt."

Er, Kirchheimer, der Krempel und Haug traten ein.

Der Liebhart, der Storch und Mainhart bleiben auf der Freiung und stellen sich an's Ed der Schottenkirche.

— — — — — — — — Oben am Ende der Treppe kam der Bürgermeister dem Stadtrichter und den andern drei Räthen freundlich entgegen.

"Guten Abend, Ihr Herren!" sprach er, sie bewillkommend, "Ihr habt die Zeit nicht zu pünktlich eingehalten, die Andern harren schon Eurer; tretet also nur ein, dort bei jener Thüre geht es durch ein Vorgemach in den großen Saal."

Die Angekommenen waren aber kaum eingetreten, so schloß sich die Thüre hinter ihnen zu, und sie befanden sich zwischen vier Mauern, deren spärliche Lampenbeleuchtung nichts als einziges Luftloch in der gewölbten Decke bemerken ließ. Einige Lagerstätten

8*

waren bereit, die neuen Gäste in Empfang zu nehmen.

Unruhe und Sorge bemeisterten sich der Eingeschlossenen.

Indessen war Holzer zu den Versammelten zurück in den großen Saal geeilt. Schweigen und erwartungsvolle Neugierde empfingen ihn.

Er nahm seinen früheren Platz ein und sprach: „Liebe Herren! Ein Gegenstand von großer Wichtigkeit ist die Ursache, warum ich Euch hierher erbeten habe. Ich glaube, es dürfte nicht überflüssig sein, Euch daran zu erinnern, wie ich bisher mit allbekannter Treue und Sorgfalt trotz der bösen Zeitläufte den Pflichten jenes Amtes obgelegen, welches Ihr so zutrauungsvoll in meine Hände gegeben habt. Aber eben diese Sorgfalt für das allgemeine Beste, eben dieses Streben für Euer Heil und Wohl, haben mich zu den Schritten, welche ich bereits gethan und noch thun werde, bemüßiget. Damit ich nur zu treuen und verschwiegenen Bürgern spreche, habe ich jene, deren Falschheit ich kenne, Eurem Rathe zufolge, entfernt, und für die nächsten Tage unschädlich gemacht. Zwei von ihnen, der Liebhart und Storch, sind zwar gar nicht gekommen, aber sie sollen auch nicht erfahren, was hier vorgefallen, und im Nothfalle könnten wir uns ihrer noch versichern. Und

nun hört, was ich Euch mittheilen will. Ich habe
die bestimmteste Nachricht erhalten, daß der Herzog
den Entschluß gefaßt habe, Kriegsleute in die Stadt
zu bringen, und in jedes Bürgerhaus zehn bis zwanzig solcher unbezahlter Söldner zu legen. Was hiervon die Folge sein würde, könnt Ihr, liebe Herren,
leicht ermessen; denn nicht genug, daß diese hungri-
gen Mücken Euch das Blut aussaugen, und sich auf
jede mögliche diebische und räuberische Weise bezahlt
machen würden; so sind wir auch noch dem Willen
Albrechts preisgegeben, denn in seiner Hand läge
dann die Uebermacht, und er könnte regieren nach
eigener Willkür, unsere Freiheiten nach Belieben kür-
zen, oder gar aufheben, kurz, mit unserem Leib und
Gut schalten und walten, wie es ihm gerade bequem
wäre; was aber der Himmel verhüten möge!"

Der Redner hielt inne.

Das unwillige Murmeln der Versammelten verrieth den Eindruck, welchen seine Worte hervorgebracht
hatten.

„Das soll nicht geschehen!" rief Einer.

„Wohin könnte eine solche Willkür führen?"
entgegnete der Andere.

„Wir wollen dem Herzoge treu bleiben, aber er
soll auch unsere Freiheiten bewahren und schützen!"

„Haben wir noch nicht Geldes genug erlegt —"

„Um die Räuber vor den Thoren wegzukaufen —"

„Wohin ist jenes Geld gekommen?"

„Der Herzog hat es vergeudet, und die Räuber hausen ungestümer denn früher."

So ging es eine Weile fort, und Holzer erkannte, daß wohl der Unwille über Herzog Albrechts Treiben wach sei, daß es aber weit gefehlt wäre, wenn er den Andern jetzt einen Uebertritt zur Partei des Kaisers zumuthen würde; demgemäß fuhr er in seinem vorgesetzten Plane fort: „Ihr thut, liebe Herren, unserem guten Herzoge Unrecht. Glaubt mir sicher, er thäte gern, was recht ist, aber er hat leider immer leere Säckel. Drum liegt es an uns, ihm treu zu bleiben, aber deshalb doch gewisse Vorsichtsmaßregeln zur Verwahrung unseres Besten nicht zu versäumen. Drum will ich zur Abwendung der Gefahr Folgendes gerathen haben. Ich weiß in der Nähe 500 Reisige, welche der Stadt gern und willig ihre Dienste anbieten würden. Nehmen wir sie in die Stadt, um dem Fürsten gegenüber nicht ohne Macht zu sein, und, falls es ihm einfiele, uns überlasten zu wollen, doch nicht ganz wehrlos da zu stehen."

„Und der Herzog? — Wenn er es erfährt?" rief Oswald Reicholf.

„Der Herzog," fuhr Holzer fort, „soll es gleich morgen durch uns selbst erfahren. Wir senden ihm ein Schreiben, in welchem wir ihm anzeigen, daß diese Reisigen nur zur Beschirmung gemeiner Stadt, zur Sicherheit Aller und jedes Einzelnen, selbst seiner herzoglichen Person in die Stadt gebracht worden seien; denn davor möge uns der Himmel bewahren, daß wir den Fürsten, der auf gut Vertrauen zu uns gekommen ist, nur im Entferntesten schädigen könnten!"

Der laute Beifall der Versammelten wurde dem Bürgermeister zu Theil; man beschloß schon am nächsten Morgen die Reisigen in die Stadt zu bringen, gelobte noch einmal die strengste Verschwiegenheit, und verließ mit dem festen Bewußtsein den Saal, daß Alles zum allgemeinen Besten sei, und wohl gelingen müsse.

Unten an dem Eck der Schottenkirche standen noch immer die Drei, und sahen, wie die zahlreichen Gestalten geräuschlos das Haus des Bürgermeisters verließen, vergebens harrten sie des Stadtrichters und der drei Rathsherren.

„Sie sind festgenommen!" rief Liebhart, „so viel ist gewiß; auch uns Beide" — wendete er sich zu Jakob Storch — „hätte dasselbe Loos getroffen;

da wir aber nicht kamen, so werden sie uns in un=
seren Wohnungen suchen, die sollen sie aber leer fin=
den. Gott befohlen, Jakob Mainhart, habt Dank
für den Freundschaftsdienst! Komm, Storch, ich werde
Dich und mich in Sicherheit bringen."

Die Beiden schritten gegen den Hof, Main=
hart am Eck aber gegen die Kärnthnerstraße zu.

Fünftes Capitel.

Auf Schloß Eichbüchl herrscht das tiefste Schweigen.

Es ist Nacht.

Dichte Finsterniß umwallt Hof, Gänge, Gemächer und Stuben.

Die Zugbrücken sind aufgezogen, Thür und Thor geschlossen.

Alles Leben ist ausgestorben, der Schlaf hat Alle in seine milden Fittige gehüllt und fortgetragen in das Land der Ruhe.

Alle? — Nein!

Dort ist eine Stube. Auf einem Lager in derselben ruht der Vogt. Ein matt flimmerndes Lämpchen steht tief in eine Mauernische gedrückt, und verbreitet einen sanften Dämmerschein in der Stube. Seibold Kerner schläft, aber sein Schlaf ist unruhig, sein lebhaftes Geberdenspiel kündet wirre Träume.

Vor der Thüre außen steht Simon, horcht noch immer und spricht: „Ob er wohl schläft? — Ich kann dem Drange nicht widerstehen, ich muß sie noch heute sehen, muß ihr künden, daß Rettung nahe ist. Dort nach jenem Gange wandelt Seibold täglich um die Mittagsstunde, dies hab' ich bemerkt, dort wird Johanna sein. Der Listige traut mir noch immer nicht, er harret noch immer seines Boten von Wien; ehe dieser anlangt, muß Johanna frei, und weit von hier sein. Drum muthig, Simon, es gilt die Rettung der theuern Schwester, für sie wag' ich Alles!"

Er preßte leise die Klinke, die Thüre geht auf. Behutsam steckte er den Kopf hinein, der Vogt schlief. Nun schob er sich in die Stube, Schritt für Schritt ging er vorwärts, nach jedem Schritte haltend, nach jedem Schritte horchend. Hart am Lager stand ein Tisch, in der Lade desselben befanden sich die Schlüssel, welche Seibold immer auf den belauschten Gang mit sich nahm; dies Alles hatte Simon schon früher erspäht. Er war bei dem Tische angelangt, er hielt den Athem in sich und regte sich nicht. In diesem Augenblicke machte Seibold eine rasche Bewegung im Schlafe und streckte seine Hand gegen Simon aus, dieser fuhr nach dem Dolche, und hielt ihn unter dem Mantel krampfhaft gepreßt; noch eine Bewegung Kerners, welche sein Erwachen hätte befürchten lassen, und der Stahl des Häßlichen hätte sich in seine Brust gesenkt; aber es geschah nicht, er blieb ruhig, Simon hörte ihn athmen — Seibold schlief wie früher. Nun wurde die Tischlade aufgezogen, die Schlüssel genommen und' die Lade wieder geschlossen.

Neues Horchen. Seibold schlief ruhig fort.

Jetzt trat der Häßliche seinen Rückweg an. Als er die Stubenthüre hinter sich geschlossen, wieder eine Weile gehorcht hatte, und sich noch immer kein Zei= chen einer Entdeckung wahrnehmen ließ, athmete er tief auf und lispelte: „Dem Himmel sei's gedankt! das Schwerste ist geschehen; nun eilig hin, Johanna ist frei, in den ersten Morgenstunden, sobald das Thor geöffnet ist, verlassen wir das Schloß; sie gehört wie= der mir an, sie ist wieder meine Schwester, mein ein= ziges Leben auf dieser Welt!"

Er eilte mit leisen Schritten durch den Gang. —
— — — — — Eine Weile darauf erwachte Seibold Kerner aus dem Schlafe.

Er warf einen Blick umher, als ob er beurthei= len wolle, wie viel es beiläufig an der Zeit sein könne. „Ich wette," murmelte er in den Bart, „es ist kaum ein Viertelstündchen mehr oder weniger als zwei Uhr. Wenn man durch so viele Wochen schon allnächtlich um diese Stunde geweckt wird, so wird es dann zur Gewohnheit, und man bedarf keines Weckers mehr. Ich will nun schauen, was das Täubchen im Käfig macht, will ihm, wie sonst, sein

Futter reichen, und das gewöhnliche Lieblein girren hören."

Er erhob sich vom Lager, nahm aus einem Schranke einen Korb, zündete eine größere Lampe an, und löschte das kleine Lämpchen auf dem Tische aus, dann schritt er gegen die obere, schmale Seitenwand der Stube, drückte dort an einen Nagel, und ein schmales Pförtchen trat hervor. Der Vogt schob sich hindurch und schloß es hinter sich wieder zu.

„So," murmelte er, „jetzt mögen sie mich außen suchen. Ich glaube, sie müßten die Burg zerstören, ehe sie diesen Versteck entdecken würden. Nun vorwärts, in der Nacht zum Mädchen, am Tage zum alten Schelm. Ja, zum Mädchen; wenn Unsereins nicht schon zu alt wäre! Ha, ha, man hat sein Theilchen schon auf dem Rücken, und wenn dies der Fall ist, so heißt es, hübsch weit vom Graben bleiben, denn da wachsen einem keine Goldfischchen mehr, sondern höchstens Frösche und Kröten, und um die mag sich der Henker scheeren!"

Der Vogt befand sich in einem viereckigen Raume, den man seiner niedern Wölbung halber weder ein Gemach, noch eine Stube nennen konnte. Von hier aus führte eine eben so geheime Thüre in eine Halle, welche den Aufenthalt Johanna's bildete.

Als Seibold eintrat, saß die Jungfrau auf einer

Polsterbank. Die Einrichtung dieses Wohnortes bot
so viel Bequemlichkeit, als man von einem gezwun-
-genen Aufenthalte nur immer fordern konnte. Eine
Ampel brannte hell und freundlich, angenehme Wärme
durchfluthete das Gemach, welches, seine hochangebrach-
ten, stark vergitterten Fenster ausgenommen, wenig
an ein Gefängniß erinnerte. Das Eintreten Seibolds befremdete Johanna nicht im Entferntesten, denn
sie war es schon gewohnt, ihn um diese Zeit kommen
zu sehen.

Sie sah ihm mit einem so wehmüthigen Blicke
entgegen, daß das Herz eines jeden Andern durch
denselben gerührt worden wäre; aber Seibold Kerner
hatte in dieser Beziehung schon andere Stürme ertragen, an ihm glitten Bitten und Blicke ab, wie
Pfeile an einer gepanzerten Brust.

Wie erwähnt, saß Johanna auf einer Polsterbank. Ein graues Kleid umfloß den jugendlich schlan-
ken Leib. Wohl hatte dieser bisher durch Kummer
und Thränen von seiner schwellenden Ueppigkeit verloren, wohl waren die Rosen von den zarten Wangen gewichen; aber deshalb lag noch immer ein un-
aussprechlicher Reiz über dieses unschuldige Geschöpf
ausgegossen, deshalb war sie noch immer so lieblich
und schön anzuschauen, wie die Lilie, wenn mit dem
Sonnengolde der Gluthauch von ihren bleichen Blät-

tern schwindet, und der Mond seine blasse, wehmüthige Schimmerfluth über dieselbe ergießt. — Wer
das arme Geschöpf gesehen hatte, wie es seit Mon-
den schon einsam in diesen Mauern trauerte, wie es
mit Gebuld die Gefangenschaft ertrug, wie es sich in
stiller Sehnsucht zu Mutter Katharina und zum Bruder Simon hinüberträumte, wie es selbst in den dü-
stersten Stunden, wenn ihm fast jeder Hoffnungsstrahl
verschwunden schien, dennoch ruhig, wohl mit Thränen, aber ohne Zorn, ohne Bitterkeit sein Leiden trug;
ja, wer es da gesehen hätte, er hätte Erbarmen mit
ihrem Zustande fühlen müssen, außerdem sein Gefühl
wäre so hart, wie jenes Seibold Kerners gewesen.

Als der Vogt eintrat, blieb Johanna ruhig und
regte sich nicht.

Jener stellte den mitgebrachten Korb auf den
Tisch.

Die Jungfrau sah ihn an, aber sie sprach nicht.

Seibold machte sich Einiges im Gemache zu
schaffen.

Vergebens, die frühere Stille wurde nicht unterbrochen.

Seibold nahm den leeren Korb, um sich auf
den Rückweg zu machen.

Johanna blieb stumm.

Der Vogt ärgerte sich. Er liebte es nicht, wenn

seine Opfer stumm blieben, er wollte sie sprechen, klagen hören; drum stellte er den leeren Korb noch einmal bei Seite, trat auf die Jungfrau zu und sprach:
„Nun, schönes Fräulein, werde ich heute nicht Euer
süßes Stimmlein flöten hören — wollt Ihr mich
kalt von Euch senden?" —

— Keine Antwort.

„Ihr scheint mir zu grollen?"

— Die frühere Stille.

„Und warum? Weil ich als treuer Diener meines
Herrn das genau erfülle, was er mir geboten."

Johanna, die Worte des Vogtes wirklich so aufrichtig nehmend, als sie dem Anscheine nach geboten
wurden, konnte dem Manne nicht ganz Unrecht geben, und erwiederte: „Ihr thut Eure Pflicht an mir,
der Himmel möge es Euch vergeben! Ich grolle Euch
nicht — aber wäret Ihr fromm und gut, Ihr würdet nicht in die Dienste eines Herrn getreten sein,
welcher ein unschuldig Mädchen auf seinem Schlosse
gefangen hält. Und wozu? Ich möchte nur wissen,
was er mit mir vor hat? Ich bin ja ein armes,
harmloses Geschöpf; was kann er von mir haben
wollen?"

„Eben, daß Ihr dieses nicht wißt," entgegnete
der Vogt lächelnd, „das ist eine Kette mehr, die mei-

nen Gebieter an Euch feffelt. Glaubt mir ficher, Ihr feid ihm unendlich theuer."

Die Jungfrau fchüttelte wehmüthig das fchöne Haupt und entgegnete: „Warum wollt Ihr mir nicht feinen Namen nennen?"

„Weil Ihr ihn ohnedem nicht kennen würdet."

„Warum kommt er nicht her, damit ich endlich in Freiheit gefetzt werde?"

„Weil es ihm für jetzt unmöglich ift."

„Unmöglich? Wenn ich ihm theuer bin?"

„Das verfteht Ihr nicht, liebes Fräulein."

„Mein Himmel! aber das verftehe ich, daß ich hier unfchuldig leide, daß ich fern von den Meinen fein muß, die mich lieben, denen ich gewiß auch theuer, o fehr theuer bin, die mich aber deshalb nicht einge-kerkert haben. Geht, geht, ich mag mit Euch nicht mehr fprechen."

Seibold Kerner war ein boshafter Eigenfinn, wenn man ihn gehen hieß, fo ging er gerade nicht.

Er nahm einen Stuhl, ließ fich dem Mädchen gegenüber nieder und fprach: „Sonft wart Ihr froh, wenn ich nur einige Minuten länger verweilte, Ihr hattet mich fo viel zu fragen —"

„Jetzt weiß ich fchon Alles."

„Ihr wußtet mir fo viel vorzufchwatzen —"

„Und jetzt werde ich schweigen — schweigen, weil ich erfahren, wie bei Euch Bitten und Flehen vergebens ist."

„Ihr seid ein kleines Trotzköpfchen." ·

„Und Ihr ein alter Sünderschädel."

Seibold biß sich in die Lippen und entgegnete mit den Augen zwickernd: „Ei, ei, wie Ihr plötzlich so fahrig werdet — "

„Weil Ihr mich quält, weil ich Euch fort haben will, und Ihr mich zum Trotz mit Eurer Gegenwart belästiget." ·

„Weil ich Euch Etwas zu verkünden habe!"

Johanna erschrak. Ihre Vernunft, ihr Herz, ihr Instinkt sagte ihr, daß sie von diesem Manne nichts Gutes zu erfahren haben würde.

Sie warf, ohne zu antworten, einen flehenden Blick auf ihn.

„Nun, Schelmin, seid Ihr nicht neugierig?"

Johanna schüttelte verneinend das Haupt und beharrte in ihrem Schweigen.

Der Vogt fuhr langsam sprechend und seine Worte scharf betonend fort: „Was würdet Ihr dazu sagen, wenn ich jetzt zu Euch spräche: Fräulein Johanna, es kann vielleicht nur noch einige Tage währen, und Ihr werdet diese Mauern verlassen." —

Buch v. den Wienern. III.   9

Das Blut wirbelte dem Mädchen durch die Adern, ihr erster Gedanke war Freiheit. „Einige Tage?" stammelte sie, „dann fort — fort von hier?"

Der Vogt nickte.

„Wär' es möglich, ich sollte endlich frei werden?"

„Frei? Wer hat das gesagt? Ich habe nur gesprochen, daß Ihr diese Mauern verlassen werdet, indem Euch ein anderes Schloß von meinem Gebieter zum Aufenthalte bestimmt ist."

Johanna sank erblassend auf die Polsterbank zurück.

„Ein anderes Gefängniß!" seufzte sie, und wischte sich die herabperlenden Thränen von den blassen Wangen.

„Ja, ein anderes Gefängniß wird Euch aufnehmen, und ein schlimmerer Vogt wird Euch beaufsichtigen. Ihr werdet keinen so wohnlichen Ort mehr zum Aufenthalt haben, Ihr werdet nicht mehr mit allen Bequemlichkeiten versehen werden, so wie es jetzt der Fall ist; jene Pünktlichkeit in der Pflege wird verschwinden, und mit Thränen in den Augen werdet Ihr noch den Seibold Kerner herbei wünschen."

Es war ein unmenschlich grausamer Scherz, den sich dieser würdige Diener Bertholds in diesem Augenblicke erlaubte.

Früher durch seine zweideutige Rede den Gedanken an Freiheit zu wecken, und dann diesen nicht
nur darnieder zu schmettern, sondern auch noch eine
solche Aussicht für die Zukunft zu entwickeln, das
war mehr als teuflisch.

Johanna horchte, sie wagte kaum zu athmen,
damit ihr ja keines der unheilkündenden Worte ent-
gehe; als der Tückische vollendet hatte, athmete sie
tief auf und lehnte das schöne Haupt wie trunken
an die Wand.

Schadenfreude, Hohn, Tücke blitzten aus den
Zügen des ergrauten Sünders.

„Ha!" murmelte er, „wie sie da liegt, ohne Leben, und doch so reizend; o, was gäb' ich drum,
wenn ich zwanzig Jahre von meinem Nacken schüt-
teln könnte, so wie man reife Früchte von den Bäu-
men schüttelt."

Er näherte sich der Jungfrau, aber in demselben
Augenblicke erhob sich auch Johanna und sah ihn
mit einem so durchbringenden Blicke an, daß sein
Fuß unwillkürlich am Boden haften blieb. Sie schien
wie durch eine innere Stimme ermuntert und aufgerichtet.

„Ihr lügt," begann sie mit jenem Ernst, welcher, von einem wehmüthigen Hauch übergossen, eine
tiefe Wirkung hervorbringen mußte. „Ihr lügt, Ihr
9*

wollt mich bethören und traurig machen. Mir sagt's mein Herz, eine innere Stimme hat es mir in diesem Augenblicke des höchsten Leidens zugerufen, ich werde diese Mauern nicht verlassen, ohne frei zu sein."

Seibold schlug ein rohes Gelächter auf. „Frei?" rief er, „o Wahn! Frei wollt Ihr werden? Wie und durch wen?"

Johanna fuhr in ihrer Aufregung wie inspirirt fort: „Wie? Durch wen? Meint Ihr, der Himmel werde ein unschuldiges Mädchen immer fort solchen Leiden preisgeben? Er kann und wird dies nicht, er wird mir einen Retter senden; o, wenn nur mein Bruder wüßte, wo ich schmachte —"

„Euer Bruder?"

„Ja, mein Bruder — Simon —"

„Simon!" schrie der Vogt auf, und sprang wie vor einer giftigen Schlange zurück.

„Ja, Simon ist sein Name!"

Da blitzt es in der Seele Seibolds auf; der angebliche Bote des Edelherrn trägt denselben Namen — wenn er — aus List sich eingeschlichen — wenn seine Angabe falsch wäre — um das Mädchen zu befreien — so ist's — „Trug! Falschheit!" rief er, „ich bin genarrt! Warte, Schlange, ich will Dir den eisernen Fuß auf den Schädel drücken, Tod und Verderben über Dich!"

Er stürzt fort.

Mit hastiger Eile die Thüren hinter sich schlie=
ßend, langte er auf seiner Stube an — außen, im
Vorkämmerchen war Simons Lager. Er stürzte da=
hin. Das Lager war leer.

„Er hat in demselben gelegen," murmelte er vor
sich hin, „wo mag er hin sein?"

Sein Auge funkelt. Mit wüthendem Blicke
durchspäht er das Kämmerchen, vergebens, von Si=
mon keine Spur.

Tief Athem holend kehrt er in seine Stube zu=
rück. „Wohin mag sich der Schelm verkrochen haben?"

Er denkt nach — er sinnt — da durchfährt ein
Gedanke seine Seele — mit einem Sprunge ist er
beim Tische, welcher an der Seite seines Lagers steht
— er reißt die Lade auf — sie ist leer. Mit dem
Ausrufe: „Verdammt! — Höll' und Teufel!" stürzt
er aus dem Gemache.

— — — — — — — Wir haben Simon in
dem Augenblicke verlassen, als er mit den erbeuteten
Schlüsseln über jenen Gang eilte, auf welchem er
den Vogt täglich im Geheimen dahin schleichen sah,
und wo, seiner Meinung nach, Johanna gefangen
sein mußte.

Die Ungeduld, die glühende Hast des Häßlichen
erreichte in diesem Augenblicke die höchste Stufe. Die

Liebe zu seiner Schwester durchfloß jeden Tropfen seines Blutes. Endlich, nach so langer Trennung sollte er sie wieder sehen, endlich durfte er ihr wieder in das klare Engelsantlitz schauen. Sein Herz pochte rascher, sein Blut durchjagte schneller den gewohnten Kreislauf, auf seiner Stirne perlten einzelne Schweißtropfen; wer den Häßlichen so durch den Gang dahin eilen sah, hätte glauben mögen, es wäre ein böser Geist, welcher durch die finstere Nacht dahin schwebte, um irgend ein Unheil über die ahnungslose Menschheit zu bringen.

Simon eilt dahin — seine Gedanken sind vorwärts — bei Johanna — bei seiner Schwester — er sieht sie schon — er hört schon den Wohllaut ihrer süßen Stimme — er fühlt schon ihren warmen Odem — er wähnt sie aufjauchzen zu hören über ihre endliche Rettung, und wem verdankte sie diese? Ihm, ihrem Bruder!

So eilt er fort.

Er folgt verschiedenen Windungen, dann bleibt er stehen, zieht unter seinem Mantel ein Lämpchen hervor, bückt sich zum Boden nieder und beginnt da leise Feuer zu schlagen. Rasch ist an dem Zunder ein Schwefelfaden, und an diesem das Lämpchen angezündet. Hierauf setzt er seinen Weg fort.

Während er in mehrere Seitenrichtungen ein-

biegt, und manchmal durch kurze Treppen abwärts
steigt, spricht er bei sich: „Wie mir das Herz schlägt,
wie mir die Glieder zittern vor banger Erwartung!
Endlich ist der lang ersehnte Augenblick gekommen, wo
ich sie sehen werde — Johanna — arme Schwester,
Du ahnst es wohl kaum, daß Dein Retter nahe ist."

Er stand vor einer Thüre und öffnete sie mit
einem von den zwei Schlüsseln, welche er aus dem
Gurte zieht, dann eilt er durch den engen Schlund
der zweiten Thüre zu, öffnet auch sie, und tritt in
das Gefängniß.

„Johanna!" rief er leise in den finstern Hintergrund hinein, „Johanna! wo bist Du? Komm hervor!"

Das Licht der Lampe war zu matt, um die
ganze Tiefe zu durchbringen, deshalb konnte der Angekommene auch nicht jene Gestalt wahrnehmen, welche
von dort her mit tiefer Stimme sprach: „Wer ruft,
wer stört hier die nächtliche Ruhe?"

„Allmächtiger Himmel! was ist das? Dies ist
nicht Johannas Kerker!" mit diesen Worten eilte der
Angekommene auf den Gefangenen zu, welcher auf
einem elenden Strohlager in einem erbarmungswür-
digen Zustande vor ihm lag.

„Wer bist Du? Kommst Du mich zu morden?
Bist Du ein Sendling Seibolds?"

„Ich bin," entgegnete der Angekommene, wie von einer kalten Fluth übergossen, „ein Knecht des Vogtes."

„Und was suchst Du hier?"

„Was ich suche? Was nützt es, wenn Ihr es auch erfahrt? Was ich gesucht, jetzt hab' ich es noch nicht gefunden."

„Du bist also nicht meinethalben gekommen?"

„Nein! Ich wußte wohl, daß noch Jemand in diesem Schlosse gefangen sei, allein hier vermuthete ich eine Andere."

„Wie, Du wußtest?"

„Seit Wochen schon!"

„Und von wem erfuhrst Du es?"

„Von demjenigen, der Euch gefangen hält."

„Heiliger Himmel! von Berthold, von meinem —"

„Ja, von Eurem Bruder!"

„Bruder! Bruder! Von meinem Mörder, von meinem Henker willst Du sagen. Doch, laß mich vergessen, ich mag nicht daran denken."

Es trat Stille ein. Nach einigen Augenblicken nahm der Gefangene wieder das Wort: „Und wen hast Du hier zu finden gehofft?"

„Meine Schwester!"

„Deine Schwester?"

„Ja, Euer Bruder entriß sie mit Gewalt meinen Armen."

„Der Elende —"

„Ich erfuhr, daß sie hier auf diesem Schlosse sei; um sie zu retten, schlich ich mich bei dem Vogte ein, und da ich seine täglichen Gänge hierher wahrnahm, wähnte ich, meinem Ziele nahe zu sein, suchte mich für heute Abend durch List der Schlüssel zu bemächtigen, und finde Euch —"

„Mich Unglücklichen, der seit vielen Jahren schon in diesem Grabe schmachtet!"

Simon betrachtete den Mann genauer, das bittere Gefühl getäuschter Hoffnung, welches ihn im ersten Augenblick bewältigte, war zum Theil aus seiner Brust gewichen; er empfand Theilnahme für die Leiden des Mannes und sprach: „Faßt Muth, ich bin zwar nur hierher gekommen, meine Schwester zu befreien, allein ich will auch Eurer nicht vergessen —"

„Wie? Darf ich meinen Ohren trauen? Du wolltest?"

„Ja, ich will; aber könnt Ihr mir nicht sagen, ob hier in der Nähe —"

„O frag' mich nicht, ich weiß von nichts. Diese Mauern sind undurchdringlich, ich bin ein lebendig Begrabener, der seit Jahren schon für alle übrige Welt abgestorben ist."

„Wo werd' ich aber meine Schwester finden? Ich habe trotz der genauen Beobachtung nicht bemerken können, daß der Vogt noch einen anderen Ort mit solcher Regelmäßigkeit besuche, wie diese Keller — sollte sie vielleicht oben —"

„Ich glaube, daß Berthold Deiner Schwester wohl einen wohnlicheren Aufenthalt bestimmt haben wird —"

„Ihr mögt Recht haben; doch was soll ich nun beginnen? Wie, ohne Seibolds Mißtrauen zu erregen, den Ort finden, wo Johanna eingeschlossen ist?"

„Johanna!" fuhr der Gefangene empor, und die Ketten klirrten durch das Gefängniß. —

Der Häßliche sah ihn staunend an. „Was soll diese Aufregung?" fragte er verwundert. „kennt Ihr Johanna?"

Der Bruder Bertholds stieß einen tiefen Seufzer hervor, ließ sich dann etwas beruhigter nieder, und erwiederte mit Wehmuth: „Deine Schwester? Nein, ich kenne sie nicht. Aber dieser Name hat mächtig an den Pforten meiner Vergangenheit gerüttelt, hat Erinnerungen erwachen gemacht, die mein Herz mit Allgewalt erfassen, und es aufwiegeln bis zum Grund. Ich habe ein geliebtes Weib gehabt, welches diesen Namen trug, ich habe ein süßes Töchterlein mein genannt, welches ebenso hieß, und ich habe Beide verloren."

Pupelli, so hieß, wie wir wissen, der Gefangene, versank in Schmerz. Ein feierliches Stillschweigen herrschte in dem Gefängnisse.

Der Häßliche fühlte sich immer mehr zu dem Gefangenen hingezogen. Er war früher gesonnen gewesen, ihm den gewaltsamen Tod seines Bruders Berthold mitzutheilen, allein nun war seine Theilnahme so gestiegen, daß er schon fürchtete, ihm diese Nachricht plötzlich und unvorbereitet bekannt zu geben; er beschloß daher im Stillen, ihn vor der Hand darüber in Unkenntniß zu lassen.

Nach einer Weile ermannte sich der Gefangene wieder, und brach in den Ausruf aus: „Ach, meine Kinder! — Sind sie noch am Leben? — Werde ich sie noch einmal an mein Vaterherz drücken?"

„Ihr habt also mehrere Kinder?"

„Einen Sohn und eine Tochter! — Ach, mein armer Simon!"

„Simon?" Der Häßliche begann zu zittern, Leichenblässe überhauchte sein Antlitz. „Simon?" schrie er auf, „und wo verließt Ihr Eure Kinder?"

„Im obderennsischen Lande!"

„Im Markte Dibach bei St. Florian? —"

„Ja, ja, beim Gastwirth Trauer —".

„Heiliger Gott — allmächtiger Himmel!" kreischte der Häßliche mit fast versagender Stimme, „Vater!" er sank vor dem Gefangenen nieder, „Vater! ich bin Simon, Euer Sohn —"

„Mein Sohn!" stöhnte der Gefangene wie vom Blitze getroffen, sein Körper begann zu zittern, seine Augen waren weit aufgerissen, er hielt die Hände starr vor sich hin, um den Wiedergefundenen zu umarmen, aber er vermochte nicht, sie zu schließen.

„Mein Vater!" wiederholte Simon mit herzerschütterndem Tone, und umklammerte die Knie des Greises.

Thränen perlten über Beider Wangen.

Todesschweigen herrscht im Gefängnisse.

„Sohn und Vater!" rief jetzt der Vogt höhnisch, welcher bereits eine Weile an der halbgeöffneten Thüre gelauscht hatte, „wo der Vater haust, kann auch der Sohn wohnen!"

Simon fuhr empor, stürzte gegen die Thüre — in demselben Augenblicke fiel sie ins Schloß, außen klirrte der Riegel — er war mit seinem kaum gefundenen Vater gefangen!

Sechstes Capitel.

Wir verſetzen unſere Leſer nach Wien.

Nachfolgende Scenen ereignen ſich am Morgen nach jener nächtlichen Verſammlung, bei welcher der Stadtrichter und die drei Räthe in dem Hauſe des Bürgermeiſters eingeſchloſſen wurden.

Der Tag iſt der Charfreitag.

Die Glocke von St. Stefan kündet eben die achte Frühſtunde.

Fünfhundert Reiſige, vom Probſt Georg geführt und von ihrem Hauptmanne befehligt, langten vor den Thoren Wiens an. Dort harrte ihrer der Bürgermeiſter, umgeben von vielen Bürgern, welche er zu ſeinen Getreuen zählte.

Holzer war zu Roß und geharniſcht. Er zog das Schwert, ſetzte ſich an die Spitze des Reiterhaufens, und führte ihn offen, Angeſichts der ganzen Stadt, durch die Straßen bis auf den Hof.

Das Staunen der Städter, denen die geſtrige Verſammlung, mithin auch die Ankunft dieſer

Gäste ein Geheimniß war, wuchs von Minute zu Minute.

Der Bürgermeister suchte sie zu beruhigen, indem er ihnen bekannt gab, daß bereits an den Herzog in die Burg ein Schreiben gesandt sei, in welchem er von der Ankunft dieses Haufens in Kenntniß gesetzt wurde, dessen Bestimmung die Sicherheit und den Schutz der gemeinen Stadt gegen äußere Feinde, so wie seiner fürstlichen Person sei.

Einigen genügte wohl diese Auskunft, allein der Zusammenfluß der Bürger und des Pöbels von allen Seiten war zu groß, als daß Alle diese Angabe rasch genug hätten erfahren können; die Nachricht: ein bewaffneter Haufe befinde sich in der Stadt, war hinreichend, Tausende, mit Schutz- und Trutzwaffen bewehrt, herbei zu locken, und da sie die Ursache nicht kannten, und auch so schnell nicht unterrichtet werden konnten, so glaubten sie, die Bewaffneten als ihre Feinde fürchten zu müssen, und verbreiteten die bestürzende Nachricht hiervon mit reißender Schnelle in der ganzen Stadt.

Herzog Albrecht, noch immer nicht ahnend, daß der Anschlag gegen ihn gerichtet sei, hatte wohl das Schreiben erhalten, allein er wunderte sich doch, wie man so etwas ohne sein Vorwissen hatte unternehmen können, und sandte alsogleich vier seiner Räthe zum Bürgermeifter auf den Hof, um ihm hierüber Rechenſchaft abzuverlangen.

Als dieſe auf dem Judenplatze anlangten, begehrten ſie von Holzer frei Geleit, und nachdem ſie dieſes erhalten, näherten ſie ſich dem Haufen, und Reimbrecht von Ebersdorf ſtellte die Frage: Was denn dies für ein Aufruhr und Auflauf wäre?

Holzer entgegnete freundlich: „Schon daß Ihr Herren frei Geleit begehrt, hat mich ſehr gewundert! — Bedarf es unter Freunden des freien Geleites? Was dieſer Auflauf ſoll? Ihr ſeht, es iſt neugierig Volk, um die Reiter anzuſtaunen, von deren Ankunft wir ſeine herzogliche Gnaden doch ſchon unterrichtet haben, ſo wie auch von ihrem Zwecke.“

Nun nahm Stefan Hohenberg, Herzog Albrechts Kanzler, das Wort: „Wohl wiſſen wir das Alles, doch haben wir darauf nur zu entgegnen, daß es auch ſtreng bei dem verbleiben möge, was jenes Schreiben enthält; denn wahrlich! ſchon das Beginnen ſelbſt, und wenn es auch in der wohlmeinendſten Treue ſeinen Grund hat, iſt doch von der Art, daß es in der Bruſt eines jeden Herzoglichen, wenn auch nicht Mißtrauen, ſo doch gerechte Verwunderung erregen muß.“

„Wie könnt ihr nur an unserem treuen Willen zweifeln?" rief der Oedenacker.

„Haben wir hierzu je einen Anlaß gegeben?" setzten mehrere der Bürger hinzu.

„Wir werden uns genau und streng an das halten, was wir seiner herzoglichen Gnaden geschrieben haben!" beschloß der Bürgermeister.

Die Räthe, hiermit zufrieden, begaben sich zurück in die Burg.

Holzer aber kehrte sich zu den Wienern und sprach: „Und nun, Ihr lieben Herrn und Nachbarn, kehrt ruhig in Euere Häuser zurück, laſſet Euch das Frühmahl munden, kommt dann wieder hierher, und wir wollen über diese Angelegenheit ausführlicher sprechen."

Die Bürger zerstreuten sich auch gutwillig.

Auch die Reisigen wurden mit dem Bedeuten in bestimmte Herbergen entlassen, daß sie sich's dort bequem machen, und ganz ohne Sorge sich der Ruhe überlassen möchten.

Der Bürgermeister kehrte in seine Wohnung zurück.

Ehe wir in der Schilderung dieser geschichtlichen Thatsache fortfahren, können wir es nicht unterlassen, unsere Leser auf den listigen Plan Holzers aufmerksam zu machen.

Er wollte sich der Person des Herzogs bemäch=
tigen. Da er aber den Wienern nicht trauen durfte,
schreckte er die Vornehmsten durch eine erdichtete Nach=
richt, und brachte mit ihrem Wissen 500 kaiserliche
Reiter in die Stadt. Nur Wenige kannten seine
wahre Absicht, die Andern, nämlich Jene, welche
bei der nächtlichen Zusammenkunft anwesend waren,
sahen in den angelangten Reisigen nur ein unschul=
biges Schutzmittel gegen etwaige Bedrückungen des
Herzogs. Das ganze übrige Wien war in voller
Unkenntniß, und dieses so schnell als möglich davon
zu benachrichtigen, war die Obliegenheit der Einver=
standenen. Die Einführung der Reisigen geschah
offen und frei, der Herzog sogar erhielt die Nachricht
hiervon in einem eigenen, von den Bürgern an ihn
gerichteten Schreiben.

War der Plan einmal so weit gediehen, daß er
in den Wienern keine Gegner zu befürchten hatte, so
war die Ueberrumpelung der von der Belagerung her
noch immer schadhaften, und auch wenig bewaffneten
Burg ein Leichtes, und Herzog Albrecht befand sich
unerrettbar in der Gewalt Holzers und des Kaisers.

Aber so weit sollte es nicht kommen. Holzer
hatte seinen Scharfblick, jene kühne Zuversicht nicht
mehr, die ihn früher einen Plan eben so rasch aus=
führen, als ergreifen ließen. Er versäumte den gün=

Buch v. den Wienern. III.   10

stigen Augenblick, dünkte sich zu sicher; die großen
Massen konnten nicht schnell genug in Kenntniß gesetzt
werden, und der Plan scheiterte.

Die Abgesandten des Herzogs waren eben in
die Burg zurückgekehrt, als die beiden Herren vom
Rathe, Liebhart und Storch, daselbst eintrafen.

„Was habt Ihr uns zu künden?" rief Herr
Jörg von Stein, „Ihr scheint gewaltige Eile zu
haben?"

„Wenig Gutes, edle Herren," antwortete der
Bürger Liebhart, „trachtet nur, daß wir alsogleich
mit dem Herzoge sprechen können, denn wir haben
dem fürstlichen Herrn Gefährliches und Wichtiges
mitzutheilen."

Reimbrecht von Ebersdorf kehrte sich zu den
übrigen drei Räthen und sprach: „Mein Gefühl täuscht
mich selten, mir schwante vom ersten Anfange an wenig Gutes. Kommt mit, Ihr Herren, wir eilen zum
Herzoge."

Sie stiegen die Treppe hinan.

Albrecht harrte mit Ungeduld der Rückkehr der
ausgesandten Herren. Auf dem Tische lag jenes
Schreiben, welches er von Holzer im Namen des
Raths erhielt. Er hatte es schon zum öftersten Male
gelesen; so lange er es betrachtete, konnte er über die
treue Ergebenheit der Bürger, welche aus jenen Zeilen

sprach, nur zufrieden sein, allein wenn er es aus den Händen legte und seinen Gedanken folgte, so mußte er vor Allem über solche Willkür der Bürger erzürnt werden, und wenn er die Vergangenheit zu Rathe zog, so beschlich auch der Gedanke an die Möglichkeit eines neuen Verraths sein Inneres, denn er fürchtete, mit seinem Bruder, dem Kaiser, gleiches Loos theilen zu müssen.

In dieser Stimmung trafen ihn die vier Räthe.

„Endlich, Ihr Herren!" rief er ihnen entgegen, „Wir haben Euerer Rückkunft mit Ungeduld geharrt. Was bringt Ihr für Botschaft?"

„Vom Bürgermeister und seinen Genossen die beste," sprach der Ebersdorfer.

„Laßt hören."

„Die Bürger versprachen, das genau zu befolgen, wessen sie Euch in jenem Schreiben versichert haben."

„Und das Volk?"

„Ist bewaffnet gegen die Reisigen aufgezogen, und konnte von Holzer nur mit Mühe besänftiget werden."

„Ihr meint also nicht, daß im Falle eines Verrathes ein allgemeiner Aufstand —"

„Bewahre; im schlimmsten Falle ist es eine Bewegung des Rathes und seiner Anhänger; doch erlaubt, gnädiger Herr! außen sind zwei Bürger, welche
10*

dringend mit Euch zu sprechen begehren; sie geben
vor, Euch eine wichtige Entdeckung machen zu wollen."

„Laßt sie eintreten."

Der Liebhart und Storch erschienen.

„Ihr Herren vom Rathe," sprach der Herzog,
„seid willkommen, oder habt Ihr vielleicht wieder die
Ankunft von einem bewaffneten Haufen zu künden,
welchen Unsere treuen Wiener zum Schutze Unserer
Person in die Stadt beriefen?"

Der Ton dieser Rede verrieth Spott und Bitterkeit.

Der Liebhart ergriff die Rede: „Gnädigster
Herr, Ihr thut uns und den Wienern Unrecht. Was
geschehen, ging nur von Holzer und den Seinen aus,
und wir fürchten, daß dies nichts Gutes sei."

„Nichts Gutes?"

„Ja, wir glauben, es handle sich um Verrath
an Eurer fürstlichen Person."

Die Uebrigen erschraken. Der Liebhart fuhr fort:
„Gestern Abend hatte der Bürgermeister mit einigen
Hundert der vornehmsten Bürger eine geheime Zusammenkunft in seinem Hause. Jenen, welche er als
wahre Anhänger Eurer herzoglichen Gnaden kannte,
wurde die Zeit des Zusammentreffens um eine Stunde
später als den Andern angegeben, denn Niemand
wußte, um was es sich eigentlich handeln werde.

Zu den Letzteren gehörte auch ich und der Storch. Als wir um Mitternacht auf der Freiung anlangten, wurden wir vom Metzger Mainhart gewarnt. Da es sich aber zum Wohl des allgemeinen Besten darum handelte, zu erfahren, was drinnen eigentlich verhandelt werde, so ließen sich vier von uns nicht abhalten, hinauf zu gehen, und wir Beide versprachen ihrer Rückkehr zu harren. Die Versammlung ging auseinander, allein die Unsern, unter denen sich auch Herr Lorenz Schönberger, der Stadtrichter, befand, erschienen nicht. Nun glaubten wir der Sache auf dem Grunde zu sein. Jene sind festgenommen, das erfuhren wir heute mit Gewißheit, und auch uns Beide hätte dasselbe Loos getroffen, denn schon heute Morgen wurden wir in unseren Wohnungen gesucht, die wir jedoch aus Vorsicht nicht wieder betreten hatten. Der Einzug der fünfhundert Bewaffneten versetzte uns endlich in Gewißheit, denn dieser, mit der gestrigen Versammlung zusammen gehalten, giebt den deutlichsten Beweis, daß es sich um nichts Offenes, nichts Wahres handle, und wir fürchten sehr, daß der Verrath Eurer herzoglichen Person gelte. Darum kamen wir auch hierher."

Albrechts Antlitz war glühend roth. Sein Auge sprühte Feuer und Flammen. Er schritt im Gemache stürmisch auf und nieder.

„Ja, ja!" rief er, „es ist gewiß, Wir sind ver=
kauft, verrathen! O, der Elende, dem Wir so viel
getraut, er ist an Uns, sowie an Unserem kaiserlichen
Bruder zum Verräther geworden. Dort auf dem
Tische liegt das Schreiben, das ist der Judaskuß,
den er Uns auf die Lippen gedrückt. Also wider Uns,
wider Unsere Person geht das Spiel? Wohlan,
Wir wollen ihm zu begegnen wissen. Schnell zu
den Waffen!"

„Gnädiger Herr!" nahm der Kanzler Hohen=
berg das Wort, „erlaubt mir, Euch darauf aufmerk=
sam zu machen, wie wir jetzt nicht in der Verfassung
sind, über alle jene Gegenstände zu verfügen, welche
zu einem Kampfe unumgänglich nothwendig sind.
Die Besatzung in der Burg ist unbedeutend, Waffen
und Schießgeräthe in geringer Anzahl vorhanden;
kommt es zu einer Belagerung, so reichen die vor=
räthigen Lebensmittel kaum auf einige Tage hin, und
dann, welchen Widerstand könnten diese Mauern bie=
ten, die von der letzten Belagerung noch so schadhaft
und unausgebessert sind, deren zerschossene Lucken und
Wälle nicht wieder verbaut, sondern nur mit Brettern
und Pfosten verwahrt wurden? Was hätten wir bei
allen diesen mißgünstigen Umständen für Folgen zu er=
warten?"

Die Räthe nickten dem Hohenberg beifällig zu,

unb ſelbſt ber Herzog, ſo wenig ſein aufgeregtes Gefühl ihm ein reifliches Ueberlegen geſtattete, mußte
ſich boch im erſten Augenblicke geſtehen, baß ber Kanzler Recht hatte.

„Wahr, wahr!" rief er mehr im Selbſtgeſpräche
als zu ben Andern, „Wir haben bem Holzer zu viel
getraut, unb wähnten Uns ſicher in hieſiger Stabt,
ſolcher Untreue hatten Wir Uns nicht verſehen."

Er ſchwieg. Der gewohnte Gang burchs Gemach wurbe wieder begonnen. „Unb boch," rief er
plötzlich aus, „ſollen ſie Uns nicht bekommen. Ein
feiger Schelm, ber im höchſten, wichtigſten Augenblicke verzweifelt, unb ſich muthlos Verräthern ergiebt.
Noch rollt bas Blut lebenbig burch Unſere Abern,
noch iſt Unſer Hirn thätig in bem Schäbel. Die
Hunde! meinen ſie, es ſäße in bieſem Augenblicke
Kaiſer Friedrich in ber Burg? Haben ſie vergeſſen,
baß Wir es ſind, Wir, Herzog Albrecht ber Sechſte
Unſeres Namens, baß Wir Keinem weichen, Uns
Keinem ergeben, unb wenn bie Gefahr auf's Höchſte
geſtiegen, lieber unterliegen, lieber ſterben, als nur
einen Hauch von Schmach auf Unſerem fürſtlichen
Namen bulben? Mögen ſie einſt von Uns ſagen unb
ſchreiben, was ihnen beliebt, Eines aber ſollen ſelbſt
Unſere erbittertſten Feinde Uns zugeſtehen müſſen, nämlich

dies, daß Wir nie gewankt, nie verzweifelt und immer der Gefahr die Stirne geboten."

Er blieb stehen, Alle sahen ihn erwartungsvoll an.

Grabesschweigen herrschte im fürstlichen Gemache.

Der Herzog stand in der Mitte desselben, und blickte finster zu Boden.

Einige Athemlängen.

Er zuckt zusammen, sein Entschluß ist gefaßt.

„Ein Roß!" schreit er auf, wie aus einem Traume erwachend, „ein Roß, ein Schwert, und Wir sind gerettet!"

Er stürmt hinaus — die Andern folgen ihm. — — — — — — — Eine eigenthümliche Scene entwickelt sich vor unsern Blicken.

Es ist auf dem Michaelerplatze.

Herzog Albrecht sitzt hoch zu Roß. Einige Getreue umgeben ihn.

Er nimmt die Mitte des Platzes ein. Er hält sein flatternd Banner in der Rechten. Sein Federbusch wallt freudig vom kampfgewohnten Helm. Die Sonne spiegelt sich strahlend in der Stahlrüstung.

Vom Michaelerthurm herab erdröhnt die Sturmglocke, der Wind trägt den Schall durch die ganze Stadt.

Ausrufer ziehen durch alle Straßen, und künden den Bewohnern: „Auf, ihr Bürger Wiens! unserem Fürsten droht durch das fremde Kriegsvolk Gefahr!"

Aufgeschreckt stürzen Tausende auf die Straßen.

„Was giebt es für Rumor?"

„Fremdes Kriegsvolk ist hereingebracht."

„Was soll dies bedeuten?"

„Horcht!"

„Was ist das?"

„Vom Michaelerthurme tönt die Noth- und Sturmglocke."

„Hin auf den Michaelerplatz!"

— Und Tausende eilten zu dem Herzog.

Dieser steht noch immer auf dem früheren Flecke, und regt sich nicht und spricht kein Wort.

Immer mehr und mehr strömen die Aufgerufenen herbei, immer mehr verdichten sich die Massen, Tausende stehen auf dem Platz, der Herzog mitten unter ihnen.

Jetzt winkt der Fürst — tiefe Stille tritt ein — Albrechts kräftige Stimme tönt über den Platz: „Bürger Wiens! Ich bin der Fürst, den Ihr selbst Euch zum Herrn erkoren; Ihr zeigt Uns treuen Sinn, aber jener Holzer, der Bürgermeister der hiesigen Stadt, spinnt Verrath. Er will Uns an die Freiheit, vielleicht gar an's Leben! Bürger! Wir haben bisher

Euer Beſtes gewollt; Wir fordern jetzt Euere Hülfe, denn der Holzer hat den Feinden die Stadt aufge= than; rettet Euere und Unſere Ehre, oder wollt auch Ihr Euere Hände, in Unſerem Blute waſchen, wohlan, ſo ſondert Euch ab von denen, die es treu mit Uns meinen."

Er hielt inne — Niemand regte ſich.

Albrecht fuhr fort: „Tauſend Dank! Ihr ſeid die Unſern, auf — der Kampf gegen die Verräther beginne — Tod und Verderben dem Holzer und den Seinen!"

„Tod — Kampf — Verderben dem Holzer!" ſo ſchrieen Tauſende zugleich.

Die Maſſen zertheilten ſich, ſo wie nachtſchwarze Wolken, wenn der Orkan durch ihre Mitte fährt; der Herzog ſprengt über den Kohlmarkt, und der Strom der Bürger ergießt ſich, um ihm zuvorzukom= men, durch alle Nebenſtraßen.

Wo Kaiſer Friedrich unrettbar verloren ge= weſen wäre, dort wußte ſich der raſche Feuergeiſt des Herzogs mit Blitzesſchnelle heraus zu kämpfen; wo jener ſich Tage lang berathen hätte, wie der Gefahr zu entgehen ſei? und dieſe mittlerweile über ihm zu= ſammen geſchlagen wäre, dort ſprang der Herzog kampfesmuthig in die Wogen, theilte mit mächtigem Arm die Wellen, und ſchwamm kühn an's rettende Ufer.

Ja, ja, es war ein Flammenmensch, dieser Herzog Albrecht, kühn und verwegen, aufbrausend und
leidenschaftlich, durch nichts zu beugen, durch nichts
zu erschüttern, Niemandem unterliegend als dem eisernen, dem letzten Gebote der Natur — dem Tode! —

Der Augenblick war gekommen.

Jetzt schreckte Holzer aus seiner Sicherheit auf.

Ein dunkles Gefühl durchzog seine Seele und
rief ihm mit unheilverkündender Stimme zu, daß
der rechte Augenblick verstrichen sei! Jetzt erkannte
er, daß nur ein Mittel seinen Plan hätte gelingen
lassen können, und dies wäre ein plötzlicher, gäher
Ueberfall der Burg gewesen; nun aber, da der günstige Moment verstrichen war, wollte er der Sache
eine friedliche Wendung geben, allein auch hierzu
war es zu spät; seine Stunde war gekommen, sein
Schicksal hatte ihn erfaßt, er wankte — stürzte —
und nichts vermochte ihn mehr vom Falle zu erretten.

Die Reisigen, durch den Aufruhr geschreckt, versammelten sich blitzschnell auf dem Hofe, Holzer befand sich bei ihnen.

Die Wuth der Bürger war gegen ihn gerichtet,
und Hunderte von Stimmen forderten Rechenschaft
von dem Rathe über die Ankunft des fremden Kriegs-
volkes.

Vergebens suchte der Bürgermeister sie zu besänftigen, vergebens war seine Versicherung, daß die Reisigen nur zu des Fürsten und der Stadt Wohlfahrt hereingelassen worden seien, und daß man sie, wenn sie es wünschten, auch augenblicklich wieder abziehen lassen könne; man hörte nicht auf ihn, seine Worte hatten nicht mehr jene Wirkung wie ehedem, sie waren schwache Pfeile, welche, statt einzudringen, spurlos abglitten.

Ganz Wien war auf den Füßen; Meister und Gesellen, Studiosen und Lehrlinge, Arme und Reiche, Alles strömte herbei, aber die Wenigsten waren von des Holzers Partei. — Als daher die Reisigen den Rückweg antreten wollten, begann die bewaffnete Menge auf sie einzudringen, Thüren und Thore wurden gesperrt, die Ketten an den Straßen vorgezogen — die Kriegsleute entblößten die Schwerter und spannten die Armbrüste. — Nun strömten die Bürgermassen vom aufgerufenen Michaelerviertel herbei. — Bestürzung erfaßte die Reisigen. — Von den Dächern flogen Steine auf ihre Häupter herab, und aus den Fenstern und Maueröffnungen geschahen Schüsse.

Das Kriegsvolk sah sich in die engen Gassen hinein gezwängt, der Kampf mit so ungleichen Kräften *begann, und* der Ausgang desselben konnte auch keinen

Augenblick zweifelhaft bleiben. Die Ordnung der
Reiter war durchbrochen, sie wurden versprengt, viele
getödtet, die anderen gefangen. Das Gefecht, mitten
in den Straßen Wiens, hatte beinahe drei Stunden
gewährt.

Schon bei dem Beginnen desselben waren die
Rathsherren wüthend davon geeilt, der Holzer mit
ihnen.

Kaum acht Stunden waren seid dem Einzuge
des Haufens verflossen, und schon war die Gefahr
abgewendet, schon waren jene besiegt, und schon
schmachteten viele der Verdächtigen in dem Kärner=
thurm.

Die ehemaligen Bürgermeister Brenner und
Ziegelhauser, der Angerfelder, Schwarz,
Hollabruner, Oedenacker, Baum, Wie=
singer und Burghauser, der Herr Augustin
Tristam, dann noch viele Andere, obwohl des
Kaisers erbittertste Gegner, dennoch von blinder
Parteiwuth erfaßt, büßten mit ihren Feinden zugleich
durch den Machtspruch desjenigen, dem sie mit ganzer
Seele anhingen.

Der Probst Georg von Preßburg entkam glück=
licher Weise in ein Haus, in welchem er sich so lange
verborgen hielt, bis es ihm gelang, in Frauenkleidern
aus der Stadt zu kommen.

Herzog Albrecht stand am Abend desselben Tages, — wie wir erwähnt, war es der Charsamstag am Neunten des Ostermonds, — wieder auf dem Michaelerplatze.

Die Freude besiegter Gefahr blitzte aus seinen kühnen Augen.

Tausende der Bürger horchten seinen Worten:

„Wir haben Uns nicht getäuscht; Ihr habt Uns aus großer Gefahr befreit, und nicht vergebens war Unser Ruf, als Wir sie Euch bekannt gaben. Empfanget hiermit Unseren Dank. Die Verräther aber wollen Wir züchtigen, daß man noch nach Jahren vor jener Strafe zurück schaudern soll, welche Wir über sie zu verhängen gedenken. Jetzt auf, eilt hin nach dem Hause des Holzer — bringt mir ihn lebend — und nehmt im Voraus als Lohn dafür sein ganzes Hab und Gut."

Der Pöbel jauchzte auf — stürmte auf die Freiung — der Reichthum des Bürgermeisters zerstob, die Plünderung war wüthend — das ungerechte Gut gedieh nicht!

Wolfgang Holzer aber wurde vergeblich gesucht, er war verschwunden.

Siebentes Capitel.

Schloß Eichbüchl war bestimmt, der Schauplatz entwickelnder Scenen in unserem Gemälde zu
werden.

Seibold Kerner hat eben die Thüre des Gefängnisses ins Schloß geworfen, jenes Gefängnisses,
in welchem sich Simon mit seinem Vater befand.

Der Vogt lief von hier wüthend in die Stube.

„Der Verräther!" knirschte er wüthend vor sich
hin, „der Schurke! Und ich Leichtgläubiger habe solches Höllenspiel nicht gleich erkannt! Also Vater,
Sohn und Schwester — die ganze Verwandtschaft.
Der gnädige Herr glaubt die Brut schon längst unter der Erde, und hat deshalb auch den Alten aus
der Reihe der Lebenden herausgezerrt, und nun tau-
chen sie auf einmal auf, und wär' ich nicht so vorsichtig, so klug gewesen, der häßliche Satan hätte den
Alten aus dem Bauer entführt, und dann wär's mir
an den Hals gegangen. Doch der Himmel hat mich

bewahrt. Aber was nun beginnen? Von dem Al=
len, was mir der Betrüger aufgebunden, darf ich
nichts glauben — mein Bote von Wien ist noch
nicht zurück — es bleibt mir also nichts Anderes zu
thun übrig, als vor der Hand das Kleeblatt fest zu
halten und den Willen des Herrn abzuwarten."

Dieser Entschluß war kaum gefaßt, als der so
lange ersehnte Bote eintraf; allein die Nachricht, welche
er brachte, war nicht geschaffen, den Vogt zu be=
ruhigen.

Simons Angabe wurde durch die Aussage des
Angekommenen vollkommen bestätiget; von dem Tode
des Edlen that der Bote keine Erwähnung, denn er
hatte von demselben nichts erfahren. Seibold ge=
rieth noch ärger in die Klemme, denn daß Simon
das Geheimniß von den Gefangenen nur durch den
Gebieter selbst erfahren haben konnte, war gewiß, er
mußte also mit ihm gesprochen haben; allein wußte
dieser, daß Simon sein Neffe war?

Die Umstände verwickelten sich von Augenblick
zu Augenblick immer mehr, dem Vogte wirbelte das
Hirn, er wußte nicht, was er beginnen sollte; je län=
ger er darüber nachsann, desto höher stieg seine Ver=
legenheit. Endlich faßte er einen Entschluß. Er
wollte ernstlich mit Simon sprechen, dieser sollte ihm
die Wahrheit bekennen, und hatte er einmal diese

erfahren, so wollte er seine Maßregeln darnach ergreifen.

Demgemäß berief er den eben angelangten Knecht
zu sich, sprach mit ihm eine halbe Stunde lang und
ertheilte ihm Aufträge, dann begab er sich durch den
Gang in jenes Gefängniß.

Es waren erst einige Stunden verflossen, seitdem sich Vater und Sohn beisammen befanden.

Simon war kaum von der ersten Aufregung zu
sich gekommen, als er, sein neues Mißgeschick verges-
send, sich an dem Gedanken, seinen Vater gefunden
zu haben, labend, demselben neuerdings zu Füßen
stürzte und, sie umklammernd, heiße Thränen vergoß.

Der Greis saß längere Zeit fast entsinnt auf
dem Lager, und ließ den Sohn gewähren; er hatte
nicht die Macht, sich zu bewegen und die Liebkosungen des Ungestümen zu erwiedern. Seine geschwächte
körperliche Kraft drohte den aufgewirbelten Gefühlen
zu erliegen. Er war nicht ohnmächtig, aber auch
keines Gedankens fähig; er glich einem Kinde, welches gutmüthig die Zärtlichkeit seiner Eltern hin-
nimmt.

Endlich legte sich bei Simon der Sturm der
Gefühle; auch Pupelli begann sich zu erholen.

„War es ein Traum?" fragte er.

„O nein," rief Simon, „kein Traum, Wirklich-

keit — Ihr habt mich, Euren Sohn, wieder gefunden."

„Mein theurer Sohn! aber wir sind noch immer hier im Gefängnisse —"

„Tragt keine Sorge deshalb, Vater, wir werden frei sein — bald — ganz frei — wir und Johanna." —

„Auch Johanna? Mein Himmel! Auch sie soll
ich sehen? So viel Seligkeit auf einmal! Nach so
viel Jahren endlich wieder einen frohen Augenblick!"

Die beiden Gefangenen saßen beisammen. Der
Greis lehnte an dem Sohn, dieser horchte aufmerksam dem Athmen des Vaters — sie sprachen wenig,
denn noch vermochten sie sich nicht in das plötzliche
Glück zu finden.

In' diesen stillen Augenblicken hörten sie außen
den Riegel klirren.

Simon sprang auf, dieses Geräusch mahnte ihn
wieder an die bittere Wirklichkeit.

„Ruhig, bleibt nur ruhig, mein Vater!" lispelte
er diesem zu, „ich werde dem Schurken Rede und
Antwort stehen.".

Er erhob sich. Seine Rechte ruhte unter dem
Mantel und hielt dort einen Dolch krampfhaft gefaßt.

Seibold Kerner steckte den Kopf zur halb geöff-
neten Thüre herein und rief: „Bleibt gelassen, ich
habe Wichtiges mit Euch zu sprechen."

„Tretet ein," erwiederte Johanna's Bruder mit
düsterer Stimme.

Der Vogt schlich herbei.

Die von Simon mitgebrachte Lampe beleuchtete
die Scene.

Die beiden Männer standen sich, kaum einige
Schritte von einander entfernt, gegenüber. Der Greis,
noch immer angekettet, lag auf dem Lager.

Seibold Kerner deckte mit seinem Rücken den
Ausgang des Gefängnisses.

Simon behielt ihn wie ein lauernder Tiger im
Auge.

„Was willst Du von mir?" fragte er nach einer Weile.

„Wahrheit!" erwiederte gelassen der Vogt.

Der Häßliche rief: „Du, der Vogt meines
Ohms, forderst Wahrheit von mir?"

„Vergeßt nicht, daß Ihr in meiner Gewalt seid."

„Oder Du in der meinen!" entgegnete der
Häßliche.

Seibold wollte einen Schritt zurücktreten, doch
Simon fuhr fort: „Nicht von der Stelle, oder ich
stürze mich auf Dich los und zermalme Dich."

11*

Der Andere riß einen Dolch hervor und versetzte: „Ich bin auf Euren Angriff gefaßt!" Der Stahl funkelte in seiner Rechten.

„Auch ich!" lächelte Simon höhnisch, und wies dem Gegner seine Waffe.

Beide standen einige Augenblicke sprachlos. Der Vogt schien überrascht.

„Wir haben gleiche Waffen!" sprach er, sich selbst beruhigend.

„Aber ungleiche Kräfte. Du bist im Nachtheil."

„Ihr irrt. Ich bin im Vortheil."

Simon sah in spähend an, und der Andere fuhr fort: „Meint Ihr, ich hätte mich so unvorbereitet in Eure Nähe begeben? Ich kenne Euch schon zu gut, um Euch nicht für immer zu mißtrauen. Hört mich an, Ihr werdet ohne den Willen meines Gebieters diesen Ort nicht verlassen, ich mußte aber von Euch Antwort, wahre Antwort auf einige Fragen haben, demgemäß verfügte ich mich hierher, aber ich stehe unter einem mächtigen Schutze."

„Und woher stammt dieser Schutz?"

„Von Eurer Schwester!"

„Von meiner Schwester!" rief Simon erstaunt, „erklärt mir dieses Räthsel."

„Laßt mich näher treten, und es soll geschehen."

Simon wich einige Schritte zurück, und Seibold

folgte ihm in eben solchem Maße nach. Die beiden Gegner behielten sich dabei immer fest im Auge. Jetzt blieben sie stehen. Der Vogt wagte kaum zu athmen, ein Beweis, daß er irgend eine List im Sinne führte; Simons Brust pochte heftig vor Erwartung.

„Ich habe gesagt, ich stehe unter dem Schutze Eurer Schwester, ich will Euch nun erklären, auf welche Weise. Johanna befindet sich hier im Schlosse in einem verborgenen Gemache. Wer die Art und Weise nicht kennt, wie man zu demselben gelangt, würde es nur dann auffinden, wenn er sämmtliche Mauern des Schlosses zerstören ließe. Sie ist gut geborgen. Bevor ich mich hierher begab, ist der von mir abgesandte Bote von Wien zurückgekehrt. Ich glaube, Euch schon gesagt zu haben, daß er ebenso mein Vertrauter sei, wie ich jener unseres Gebieters bin. Ich kenne seine Treue und weiß, daß ich auf ihn bauen darf. In diesem Augenblicke befindet sich jener Knecht in der Nähe Eurer Schwester, und horcht auf den nächsten vollen Stundenschlag der Schloßglocke." —

Simon horchte hoch auf; seine Augen glotzten wie zwei Kohlen aus dem häßlichen Antlitze, er zitterte, und athmete in immer kürzeren Pausen. Seibold Kerner hielt absichtlich inne.

„Nur weiter, sprich weiter!" keuchte der Sohn
Pupelli's mühsam hervor.

„Wißt Ihr, wie lange es noch bis dahin währen kann?" fragte der Vogt langsam mit stärkerer
Betonung.

Der Häßliche bebt wie eine Eiche im Sturm,
aber er erwiedert nichts. Statt dessen beantwortet
Kerner seine eigene Frage und spricht: „Ich meine,
jetzt sei gerade die eine Hälfte der Stunde vorüber,
also bis dahin noch dreißig Minuten!" — Er hielt
wieder inne.

Nach einigen entsetzlichen Augenblicken fuhr er
wie früher fort: „Und wenn ich bis dahin nicht wieder zurückgekehrt bin, so ist Eure Schwester — todt!"

„Meine Schwester!" — „Mein Kind!" —
Diese beiden Rufe wurden von Vater und Sohn zu
gleicher Zeit auf eine erschütternde Weise hervorge-
stoßen. Der Vogt grinste lächelnd und drohte mit
seinem Lauerblicke den Häßlichen zu verschlingen.

Doch nur einen Athem lang blieb Simon, von
der höchsten Angst aufgeregt, unthätig, in dem nächsten Augenblicke war schon sein Entschluß gefaßt. Er
stürzte der Thüre zu. Diesen Moment hatte Seibold
Kerner herbeigewünscht, denn er befand sich mit einem Sprunge an dem Lager des Gefangenen, schwang

den Stahl über den wehrlosen Greis und stieß ein gellendes Gelächter aus.

Der Häßliche blieb wie eingewurzelt stehen.

„Nur zu," rief ihm der Vogt nach, „eilt fort, ich kenne Eure Gedanken, Ihr wollt Euch der Freiin entdecken; aber wißt, in dem Augenblicke, als Ihr die Thüre hinter Euch schließt, in demselben Augenblicke schwimmt Euer Vater in seinem Blute."

„Halt ein!" schrie Simon, und rang verzweiflungsvoll die Hände.

„Rette Johanna!" jammerte der Vater.

„Tod und Verderben über Euch!" schrie Seibold dem Gefesselten zu.

Es war eine erschütternde Scene.

Simon befand sich in einer verzweiflungsvollen Lage. Dort die Schwester, hier der Vater — Beide in Lebensgefahr — er unfähig, sie zugleich zu retten, und wenn er sich nur der einen Seite zukehrte, war die andere verloren.

Gespenstisch blickte er um sich, als suche er nach einem Rettungspunkte, allein vergebens, es blieb ihm kein anderer Ausweg, als sich dem Willen des Vogtes zu fügen. Von dem geistigen Kampfe fast erschöpft, athmete er schwer auf, wischte sich den kalten Schweiß von der Stirne und sprach herabgestimmt: „Ich sehe ein, Du bist im Vortheil, Du hast mich

überliftet. Drum fprich, was wollteft Du von mir
erfahren? Jch will Dir Wahrheit, reine Wahrheit
tifchen."

„Das läßt fich hören. Jetzt fprecht Jhr endlich
als ein kluger Mann. Mit Gewalt gelangt Jhr bei
mir nicht zum Ziele. Jetzt fagt mir offen: Habt
Jhr mit meinem Gebieter gefprochen?"

„Ja!"

„Hat er Euch die Anwefenheit der Gefangenen
hier entdeckt?"

„Er felbft."

„Wann gefchah diefes?"

Ein Gedanke durchflog jetzt die Seele des Häßlichen. „Dies ift der Weg zur Rettung!" rief es
laut in feinem Jnnern, „ich Thor, warum habe ich
ihm nicht fchon längft die Wahrheit verkündet?" —
Dann fprach er zum Vogt als Antwort auf deffen
frühere Frage: „Jch fprach mit ihm einige Augenblicke — vor feinem Tode."

„Berthold todt!" fchrie Pupelli erfchüttert auf.

„Faßt Euch, mein Vater!" rief Simon dem
Greife zu, „ich wollte Euch die fchreckliche Kunde fei-
nes gewaltfamen Todes hier nicht entdecken, aber die
Nothwendigkeit zwingt mich, Euer und Johanna's
Leben hängen davon ab."

Seibold Kerner ftand beftürzt. An diefen

Fall hatte er bisher noch nicht gedacht. Dies war das Gräßlichste, was für ihn geschehen konnte, denn mit dem Tode Bertholds war auch er unwiederbringlich verloren. Aber eben, weil ihm aus diesem Umstande so großes Unheil entgegen grinste, weil er sich mit demselben an den Rand eines tödtlichen Abgrundes geschleudert sah, eben deshalb sträubte er sich auch mit ganzer Gewalt gegen die Möglichkeit, gegen die Wahrheit dieser Kunde, und rief aus: „Ihr lügt, Ihr wollt mich bethören, es ist nicht wahr — Berthold von Ellerbach kann nicht todt sein —"

Simon erkannte wohl den Grund, warum sich der Vogt gegen den Glauben an die Wahrheit dieser Kunde so sträubte, und rief: „Ich schwöre Euch, daß ich Wahrheit rede, bei dem Leben meines Vaters und meiner Schwester."

Seibold Kerner erbebte. Er begann an die Möglichkeit zu glauben; aber noch immer wollte er an der Wirklichkeit zweifeln, und obwohl schon in seinem Innern eine unheilverkündende Stimme erwacht war, welche dasselbe bestätigte, so suchte er sie doch zu ersticken, indem er rief: „Ihr lügt — ich kann es nicht glauben — es ist nicht wahr — gebt Raum — bald wird die volle Stunde tönen, und wenn Ihr den Tod Eurer Schwester nicht selbst heraufbeschwören wollt, so laßt mich hinaus."

Vater und Sohn stießen zu gleicher Zeit einen Wehruf aus.

Todesschweigen.

Vom Thurme tönt das dritte Viertel.

In demselben Augenblicke hört man die Schritte eines Herbeieilenden. Ein Knecht stürzt herein.

„Herr Vogt!"

„Schurke, was willst Du hier?"

„Schnell, schnell, kommt!"

„Warum hast Du das Mädchen verlassen?"

Simon horchte hoch auf.

„Laßt die Possen und rettet Euch — der Ur-schendorfer ist zurückgekehrt — der gnädige Herr ist todt — Bewaffnete suchen Euch —"

„So nimm noch Du Deinen Lohn!" schrie Sei-bold Kerner, als er sich entdeckt und verrathen sah, und stürzte auf Simon los.

Dieser wich dem Dolchstoße aus und umfing den Vogt.

„Zu Hülfe!" schrie Seibold seinem Knechte zu, allein der Getreue war schon fort, und hatte die Thüre des Gefängnisses offen gelassen.

Die beiden Ringenden hielten sich so umfaßt, daß sie selbst von den kurzen Dolchen keinen Gebrauch machen konnten. Der Kampf währte fort, die Verzweiflung lieh dem Vogte Kraft, den Angriffen des Häßlichen zu widerstehen.

Pupelli stand im Gefängnisse, so weit ihm die Kette vorzudringen gestattete, und rang verzweiflungsvoll die Hände.

Man hörte das Stöhnen und Keuchen der Kämpfenden.

Aus der Ferne vernahm man Stimmen, der Gefesselte rief nach Hülfe — der Kampf währt fort — die Stimmen kommen näher.

Angst und Verzweiflung erfassen mit doppelter Gewalt den Vogt — jetzt gelingt es Simon sich loszuringen — er führt gegen Kerner einen Stoß, und trifft ihn in die Schulter — der Verwundete taumelt zurück — jetzt wirft sich ihm der Andere mit ganzer Kraft entgegen, und fühlt in demselben Augenblick einen Stich in der Brust.

Ein Wehruf Simons durchdringt das Gefängniß. —

„Mein Sohn — Hülfe — er wird ermordet!" jammert Pupelli. —

Die Ringenden sind Beide zu Boden gesunken und stoßen blind auf einander los —

Bewaffnete dringen herein, Hanns Kling von Urschendorf befindet sich an ihrer Spitze. — — —

Wir können dieses Capitel nicht schließen, ohne unsere Leser über Vorfälle der früheren Vergangenheit aufzuklären, welche auf einige unserer Personen Bezug haben, und die sie sich auch, nachdem die ersten Eindrücke eines so seltsamen und traurigen Wiedersehens vorüber waren, wechselseitig mittheilten.

Wir lieben es, uns bei solchen Nachholungen der äußersten Kürze zu befleißigen, und werden dies hier um so eher thun, da sich nachfolgende wichtigere Begebenheiten hervordrängen, welche die Aufmerksamkeit unserer Leser in einem viel höheren Grade verdienen.

Pupelli und Berthold von Ellerbach waren die einzigen Sprossen ihres Stammes. Die außerordentliche Verderbtheit des jüngeren Bruders ließ ihn bald ein aufmerksames Auge auf das zu hoffende Erbe richten, und der Wunsch, dieses allein zu besitzen, entstand bald so lebhaft in seinem Innern, daß er auf Mittel sann, diesen zu befriedigen, und keines zu schlecht fand, wenn es ihn nur zum Ziele führte.

Noch vor dem Tode ihres Vaters, mithin auch noch vor dem Antritte ihres Eigenthums, lernte der Aeltere, Pupelli, ein Mädchen kennen, welches eben so schön, als tugendhaft und züchtig, aber auch eben so arm als schön war. Die Herzen der jungen Leute fanden sich zu einander, und da Johanna

von bürgerlicher Abkunft war, so mußten sie ihre Leidenschaft vor den Verwandten Pupelli's, wollte dieser
seine Geliebte nicht den feindlichsten Verfolgungen
preisgeben, sorgfältig verbergen.

Pupelli schloß mit Johanna einen geheimen
Ehebund, ein vertrauter Priester sprach den Segen,
und drei glückliche Jahre flossen dahin. Simon
und Johanna waren die Sprossen der Ehe.

Allein diese war nicht so verborgen geblieben,
als es die Liebenden gehofft hatten; der jüngere Berthold entdeckte, durch die geheimen Gänge des Bruders aufmerksam geworden, das Geheimniß, und traf
seine Maßregeln. Kaum war der Vater gestorben,
so lockte er Pupelli an einen einsamen Ort, ließ ihn
dort überfallen und nach Schloß Eichbüchl führen.

Johanna, für ihre Kinder eine ähnliche Gewaltthat fürchtend, entfloh, und da ihre Ehe mit Pupelli ohne Zeugen geschlossen war, und der Priester
dieselbe ohne alle Vorsichtsmaßregeln eingesegnet hatte,
so konnte sie auch keine Ansprüche geltend machen.
Um ihren Gatten klagend, und sich verzehrend in
Gram und Kummer siechte sie dahin, und verließ bald
darauf ein Leben, welches für sie so schön begonnen
und so elend zu Ende ging.

Ihrer beiden Kinder nahm sich der Schankherr
Martin Trauer in Dibach an, ohne mehr von

ihnen zu wiſſen, als daß ſie die Waiſen einer armen
Frau ſeien, die in dem Dorfe auf Koſten der Gemeinde beerdiget werden mußte. Eine Vorſichtsmaß-
regel hatte Johanna doch vor ihrem Ende getroffen.
Ein ehemaliger Knecht Pupelli's, welcher eben
durch den Markt zog, erhielt den Auftrag, falls er
ihrem Gatten je wieder begegnen ſollte, ihm zu be-
richten, wie ſie geendet, und wo er nach den beiden
Kindern zu forſchen habe.

Dieſe Botſchaft kam dem Gefangenen richtig zu,
denn der Knecht nahm bei Berthold Dienſte, um
nach ſeinem ehemaligen Herrn zu forſchen, was ihm
auch gelang; aber Seibold Kerner entdeckte deſſen Ein-
verſtändniß mit Pupelli, und machte den Getreuen
unſchädlich

Mittlerweile bemächtigte ſich Berthold des ganzen Erbes ſeines Vaters, und ehelichte Juliane,
welche ihm, von den Ihren gezwungen, die Hand
reichte. Ueber das ſpurloſe Verſchwinden Pupelli's
verbreiteten ſich ſpäter die ſeltſamſten Gerüchte; auch
die Gattin Bertholds erfuhr dieſe zu ihrem Schrecken,
und ſie theilte die zuletzt allgemein gewordene, aber
unerwieſene Meinung, daß Pupelli durch ſeinen Bruder ermordet worden ſei.

Der Schankherr Trauer übergab die beiden
Waiſen an die blinde Katharina, weil dieſe ver-

sprochen hatte, sich ihrer anzunehmen und für ihr ferneres Wohl zu sorgen.

— — — — — — — Der Augenblick der Erlösung war gekommen.

Eine Stunde nach dem Einbringen Klings in das Gefängniß sind die Getrennten wieder vereint.

Johanna ist durch Angabe des sterbenden Vogtes befreit und liegt in den Armen Katharina's, aus welchen sie in jene des wieder gefundenen Vaters stürzt. Der alte Kling hält seine Amelei umfaßt. Juliane blickt unter Thränen auf die abgezehrte Gestalt des todt geglaubten Pupelli.

Aber durch diese stillen Thränen zieht ein gräßlicher Schmerz; der tödtlich verwundete Simon liegt im Sterben, er hat mit seinem Leben jenes des Vaters gerettet, er ist ein Opfer seiner Bruderliebe gefallen. Ohne nur im Entferntesten seinen Schmerz zu verrathen, blickt er lächelnd auf die Gruppen; sein häßliches Antlitz ist wie von einem Friedenshauch überweht, er hat selbst der Blinden vergeben, seine Hände ruhen in jenen der Seinen; das einzig schöne Gefühl in seiner Brust, die Liebe zu seiner Schwester, feiert in den letzten Lebensaugenblicken den höchsten Triumph: Er — er hat Johanna dem Vater zugeführt!

Und Vater und Schwester stehen ihm zur Seite, wischen ihm mit zitternden Händen den Schweiß von

der Stirn, und weinen heiße Thränen an seinem
Sterbelager, horchen bange seinen letzten Athemzügen,
und sehen das Erlöschen seines Auges, fühlen seinen
letzten matten Händedruck, und sehen, wie der Tod
sein Opfer erfaßt; das Antlitz wird bleich — jetzt
hört der Odem auf — jetzt verstummt das Herz —
das Auge erlischt — die Wärme schwindet — der
Leib erstarrt — der alte Vater drückt ihm das Auge
zu. —

    S i m o n ist verschieden!!

Achtes Capitel.

Die Christenwelt hat die Auferstehung gefeiert.

Die Nacht, welche den ersten Ostertag gebären sollte, sank herab; still, traurig, beklommen legte sie sich über die Erde, so wie eine Frau, welche fühlt, daß die Last, die sie neun Monate unter ihrem Herzen getragen, sich loszuringen beginnt.

Der Himmel ist mit Wolken bedeckt, ein leiser Wind streicht über die Flur, die Sterne sind verschwunden, die Nacht hat ihre Reize verloren und ihren Schmuck von sich gethan.

Ein einzelner Mann streicht vor der Stadt längs den Mauern. Sein Gang ist rasch, sein Blick unstet, sein ganzes Wesen verwirrt. Er geht, bleibt oft an der Stelle wie eingewurzelt haften, stößt den Odem aus lochender Brust, und ballt drohend die Faust gegen die Stadt.

Jetzt langt er bei dem Stubenthore an. Eine Weile bleibt er vor demselben stehen, wirft einen sehn-

suchtsvollen Blick darauf, eilt hin, und beginnt heftig
an dem Pförtchen zu klopfen.

„Wer begehrt Einlaß?" fragt innen die Stimme
eines städtischen Rottmeisters.

„Oeffnet!" rief der Mann, „ich bin es, Wolfgang Holzer, der Bürgermeister von Wien!"

Das Pförtchen blieb geschlossen, und die
Stimme innen erwiederte: „Flieht von hinnen, Herr
Bürgermeister, denn wenn ich Euch einlasse, seid Ihr
verloren!"

„Ich will in mein Haus!"

„Es ist geplündert."

„Zu meinen Getreuen!"

„Sie sind verhaftet."

„Ich will mit den Bürgern sprechen!"

„Sie sind empört über Euch."

„Oeffne, öffne!" rief Holzer wild.

Aber der Mann öffnete nicht, und der Bürgermeister stürzte endlich verzweifelt fort. Seine Stimmung war noch mehr erbittert, seine Gefühle noch
mehr empört; er wollte sich abwenden von der Stadt,
aber unwiderstehlich zog es ihn zu derselben hin. So
wie früher zum Stubenthore, so kam er jetzt an
das Thor zum rothen Thurm, und so wie dort,
so wurde er auch hier abgewiesen.

Nun erfaßte ihn ein bitterer Ingrimm, er stürzte fort durch die Nacht.

Sein Weg ging den Donaufluß hinan, bis gegen das Schloß auf dem Kahlenberge.

Mitternacht war vorüber als er vor demselben anlangte.

Nach langem Pochen erst erschien der Burgvogt des Schlosses.

Holzer forderte Einlaß, allein Aschbeck, so hieß der Mann, verweigerte ihm denselben.

„Wie, Ihr wagt es!" rief der Bürgermeister, „habt Ihr vergessen, daß Ihr in meinem Gelübde steht?"

„Ich bin es nicht mehr," erwiederte der Andere kalt, „so wenig als Ihr noch Bürgermeister von Wien seid. Zieht von dannen, Herr Holzer, wahrt Eure Freiheit und Euer Leben, denn beide sind bedroht, und ein zweischneidig Schwert hängt an einem einzelnen Haare über Eurem Haupte."

Der Flüchtige stürzte fort.

Finstere Nacht umfing ihn, der Himmel hing schwarz und düster über ihm, Berg und Wald umstarrten seinen nächtlichen Pfad, die noch immer kahlen Bäume grinsten ihn wie nächtliche Gespenster an, er floh fort, wie gesagt, durch Dorn und Busch, über Stock und Stein.

12*

„Die Elenden!" rief er wüthend aus, „wie sie nun plötzlich den Mantel wenden, und mir die Zähne weisen. Vor Kurzem noch haben sie sich demüthig vor mir gebeugt, haben zu meinen Füßen gewinselt wie die Hunde, wenn sie die Peitsche fürchten, und da ein Unglück, ein Mißgeschick mich bedroht, nun empören sie sich gegen mich, gegen mich — ihren Herrn! Aber noch ist das Ende des Possenspiels nicht herangebrochen, noch bin ich nicht besiegt, ein unterliegender Gegner ist noch immer kein besiegter. Ich will mich wieder erheben, und will kräftiger als je dastehen. Ich will ihnen zeigen, daß Wolfgang Holzer wohl Alles, aber nur nicht seinen Willen verlieren kann. Ein Schritt nach Wien, nur eine Stunde Frist in seinen Mauern, und die Bürger stehen mir wie ehedem zur Seite, und tragen mich im Triumphe vor die Burg des Wütherichs, und pochen mit eisernen Fäusten an den morschen Bau, und jagen den Herzog auf vom schwellenden Pfühl; Kaiser Friedrich zieht ein, und ich bin wieder, was ich gewesen; nein, ich steige noch höher, noch schwindelnder hinan; aber dann --- aber dann wehe denen, die von mir abgefallen, wehe den Abtrünnigen, die sich von mir gewendet! Die will ich fassen mit glühenden Zangen, will feurige Kohlen schütten auf ihre Häupter, will sie eingraben in Salz und Asche, daß selbst

kein Knochen von ihrem einstigen Dasein zeugen
soll!" —

Der Flüchtige stürzte ruhelos fort — der Morgen — der heilige Ostermorgen brach heran.

Auf dem entwurzelten Stamme einer Eiche sitzt
Wolfgang Holzer; er ist müde, und will für
seine fernere Wanderung Kräfte sammeln.

Der Ort ist ein kuppenartiger Vorsprung eines
Hügels, unten dehnt sich ein weiter Forst aus, im
Rücken prangen baumreiche Höhen. In den eben
knospenden Zweigen hüpfen lustige Vögel, sie beachten
den einzelnen Mann nicht, scheinen nur von der Nähe
des heranbrechenden Frühlings durchdrungen, und zwit-
schern und trillern in ausgelassener Weise. Dieser
Gesang allein stört das sonstige Schweigen.

Der Bürgermeister von Wien sitzt am heiligen
Ostermorgen mitten in der Wildniß; gestürzt und vertrieben, weiß er fast nicht, wohin den irren Fuß zu
wenden. Sein wirrer Blick durchstreift das Land,
welches zwar arm und ausgesogen, aber doch nicht
reizlos vor ihm liegt. Aus weiter Ferne vernimmt
er Glockenklang. Die Bewohner des Dorfes werden
zur Messe gerufen. Bilder, an denen er seib langer
Zeit nicht gehangen, Bilder, welche er im Treiben seines rastlosen Ehrgeizes ganz vergessen, die
aus seiner Seele heraus gewischt schienen: sie sprangen

plötzlich aus dem Herzensschachte auf, und entfalteten vor den Augen des Gesunkenen eine Farbenpracht, die ihn mit gewaltsamer Wirkung erfaßte und mit sich fortriß.

„Heute ist der erste Ostertag" sprach er seufzend, „ein Ruhetag, ein hoher Festtag. Die ganze Gegend ist in feierliche Stille versunken, dort unten wallen Landbewohner zur nächsten Kirche, sie gehen, das zu erflehen, was tausend Andere in Ueberfluß besitzen! Wie genügsam das Volk doch ist! Ein grobes Gewand, eine ärmliche Hütte, ein liebend Weib, eine Schaar von fröhlichen Kindern, und dazu nichts als das, was unumgänglich nothwendig ist, das Leben auf die mühseligste Weise zu fristen, und bei dem Allen doch rüstig, thätig, unverdrossen, ja manchmal sogar fröhlich, — ach! wer das könnte, oder gekonnt hätte! — Ich? Nie! — Mich hat das Leben erfaßt wie ein Strudel, hat mich gerissen aus dem bescheidenen Bäckerhause, hat mich geschleudert in das wirre Treiben der Großen, und bald gehoben, dann hinab gedrückt, dann wieder gehoben, und nun? — Nun sitze ich hier, ein flüchtig Wild; nun scheint mein jahrelanger Bau plötzlich eingestürzt, und ich — ich soll von Neuem beginnen! Und wer trägt an dem Allen die Schuld? — Ich, ich selbst! Warum hab' ich gezaudert, warum zu viel auf diesen

elenden Pöbel gebaut, der seinen Günstling heute in
die Lüfte hebt, und sich morgen treulos von ihm
wendet? Fünfhundert kaiserliche Reiter — der Plan
so fein begonnen — sie kommen ohne Mißtrauen in
die Stadt — rasch vorwärts — hin gegen die Burg
— die Trommeln heulen Sturm — die Arglosen
taumeln auf, und ehe sie zur Besinnung kommen, ist
der Herzog aufgehoben, entführt, und in der Neustädter Burg in Gewahrsam; ja, so wär's gelungen, so
wär's ein Meisterstreich geworden, und jetzt? — jetzt
werden sie mich höhnen, schelten, und doch hab' ich
nur den günstigen Augenblick versäumt. — Sonderbar! Als mein Streben gegen den Kaiser ging, ließ
es die Vorsehung gelingen, und er ist ja doch im
Rechte; und nun, nun, da ich den Mann der Gewalt
vernichten will, nun scheitert mein Vornehmen, nun
läßt mich das Geschick zum Stümper werden! Jetzt,
da ich mein Unrecht wieder gut zu machen gedenke,
jetzt muß ich straucheln, fallen. — Fallen? Nein! —
Wolfgang Holzer ist noch nicht gefallen, Wolfgang
Holzer fällt auf einmal nicht. Und doch — was
beginnen? Wär' ich in Wien, nur einen Tag in
Wien, es stände Alles so wie gestern; denn mir sollten sich die Massen wieder zuwenden, wenige Stunden,
und sie würden in mir wieder ihren Abgott verehren.
Ja, in Wien! Wie werden meine Feinde sich jetzt

herumtreiben, wie werden sie schüren und blasen, um mich ganz zu untergraben, und ich — ich muß es geschehen lassen — ich muß hier in einsamer Wildniß sitzen, um von der nächtlichen Flucht auszuruhen, um aufzuathmen vom gähen Sturz. Dort, der Landmann, er kehrt in seine Hütte zurück, er hat ein Fleckchen Erde, wohin er mit Sicherheit seinen Fuß setzen kann; und ich, der ich so hoch gestanden, ich bin nirgends geborgen, ich bin überall verfolgt. Jener kehrt heim, ein liebend Weib empfängt ihn, Freunde kommen ihm bewillkommend entgegen, Kinder umhüpfen ihn freudig, er lächelt Allen vergnügt zu und freut sich seines ärmlichen Daseins; und ich — ich bin selbst im höchsten Glücke allein gestanden, habe Niemanden gehabt, der mich geliebt hätte, habe nie ein Herz mein genannt, habe nie an dem Busen eines wahren Freundes gelegen, ich war immer allein, ganz allein."

Holzer versank in trauriges Schweigen, dieser Gedanke erfaßte sein Herz, und nach langer Zeit wieder einmal bemächtigte sich ein wehmüthiges Gefühl seiner Brust. Aber nicht lange gab er demselben Raum, es schien, als ob er sich desselben schäme, und er suchte sich ihm mit Gewalt zu entwinden. Er sprang auf, und stürzte fort, seinen Weg durch Wald und Dickicht suchend.

Seinen Gedanken nachhängend, achtete er der Richtung des Weges nicht, und hatte sich bald verirrt. Ein zufällig getroffener Bauernbursche mußte ihm bis Melk als Leiter dienen; dort ließ er sich über die Donau setzen, und betrat sein Schloß Weiteneck, welches er von Herzog Albrecht zum Geschenk erhalten hatte.

Aber so wie der einen Abhang hinab laufende Mensch, einmal in Bewegung gekommen, sich nicht zu halten vermag, und unwillkürlich noch eine Weile der erhaltenen Geschwindigkeit folgen muß; eben so vermochte auch Wolfgang Holzer nicht in Weiteneck zu bleiben. Es litt ihn dort nicht, sein Verhängniß hatte ihn erfaßt, er mußte ihm folgen. Der Wahn, noch immer jenen Einfluß auf die Massen in Wien zu besitzen, der Gedanke sich durch eben diesen Einfluß dem Herzoge wieder aufzubringen, trieben ihn von hier fort. Als Hauer verkappt, von dreien seiner Knechte geleitet, bestieg er ein kleines Fahrzeug, und glitt auf den Wellen der Donau gen Nußdorf hinab.

Es ist Vormittag, am Ostermontage.

Vor den Hütten des genannten Dorfes stehen die Bewohner in reinlichen, aber armen Gewändern. Der Morgengottesdienst ist eben zu Ende. Die laue Luft kündet den herangebrochenen Frühling. Alles

lebt frisch auf, und heitert sich aus; man verläßt die
Stuben, um außen der stärkenden Bergluft theilhaftig
zu werden.

Einzelne Gruppen der Dorfbewohner unterhalten
sich im freundlichen Gespräche. Eine derselben besteht aus drei Männer. Der Ansehnlichste von ihnen
ist Jobst Zellhauer, der Bäcker von Nußdorf,
die andern Beiden sind Weinzierl aus den nächsten
Weingärten. Diese Drei haben kaum ein halbes
Stündchen mit einander geplaudert, so nähert sich
von der Stadt her ein vollbackiger, stämmiger
Bursche, mit einem kurzen Genicke, aber zwei blühend
rothen Wangen. Seine blaue Jacke, seine pelzver-
brämte Gugel, und endlich das faltige Beingewand
kündeten den Sonntagsstaat des Städters.

Die Nußdorfer grüßten den Angekommenen.

„Guten Festtag, Herr Jobst!" entgegnete der
Bursche freundlich.

„Ei, willkommen Gilg Stößl!" entgegnete der
Bäcker, „hätte Euch bald nicht mehr erkannt."

„Seid Ihr derselbige Gilg, welcher beim Metzger
Mainhart am Eck bedienstet ist?" fragte der Aeltere
der beiden Weinzierl.

„Ja, ich bin derselbige!" bestätigte Stößl.

„Seht, welch sonderbares Zusammentreffen," fuhr
der Frühere fort, „kenn' Euch schon länger, aber nur

dem Namen nach, ich heiße Lorenz und hab' eine
Schwester, Evchen Weiz!"

„Potz Horn und Haut!" schrie Gilg freudig
auf und machte einen gewaltigen Hopser, „Ihr seid
der Bruder meines Kernmädls? Alle Wetter! das
ist mir recht. Habt Ihr vielleicht einige Kälber,
wenn ich zu Euch ins Gäu komme?"

„Ei, mein lieber künftiger Schwager," entgeg‐
nete der Gefragte, „bei mir kälbert sich nichts; da
haben die Kaiserlichen und dann wieder die Herzog‐
lichen den Kehraus gehalten, und wo solche Gäste
einsprechen, da bleibt selten eine Nachlese übrig.

„Wahr gesprochen!" versetzte der Bäcker, „wir
auf dem Lande außen haben's am besten empfunden;
wir werden lange Zeit brauchen, bis wir wieder ins
alte Geleise kommen."

„Geht bei uns auch nicht besser," versetzte Gilg,
„die Herren wissen nicht, was sie wollen. Früher war
ihnen der Kaiser nicht recht, jetzt wollen sie wieder
dem Herzoge an's Leben; aus solchen Wirren kann
kein Heil ersprießen, aber an dem Allen trägt nur
Einer Schuld, der verdammte Holzer —"

„Wir haben die vorgestrige Geschichte schon ver‐
nommen," meinte Lorenz.

„Nun seht, dieser eine Schelm verdreht Hun‐
derten die Köpfe, und Niemand weiß jetzt noch, was

er eigentlich gewollt hat. Doch was geh'n uns diese Streiche an!"

„Ja, Ihr habt Recht!" sprach der Bruder Evchens, „reden wir von etwas Klügerem. Habt Ihr schon lange keine Nachricht von Eurer Liebsten?"

„Seitdem sie mit der Freifrau aus Wien fortgezogen ist; o die Schelmin! wenn ich sie nur wieder zu Gesicht bekomme, ich werde sie schon ein wenig in's Gleiche bringen — eine solche Nachlässigkeit ist unverzeihlich. Seht, künftiger Herr Schwager, ich habe das Mädl so lieb, ich könnte für sie in's Wasser gehen, und eben deshalb ärgert mich ihr Schweigen; doch, Herr Jobst Zellhauer, Euch werden meine Herzenssachen wenig Freude machen, wißt Ihr, warum ich eigentlich heraus gekommen?"

„Nun, laßt hören!"

„Mein Meister will mit Euch einen großen Handel schließen, — er nimmt Euren ganzen Hörnervorrath; wie viel Stücke habt Ihr steh'n?"

„Ich glaube, es werden fünfzehn sein."

„Grade recht, so viel bedürfen wir. Ich gehe mit Euch, die Waare zu besehen."

Die beiden Weinzierl wollten sich entfernen, aber Gilg Stößl rief: „Was? Ihr wollt uns verlassen? Was fällt Euch ein? Kommt mit, wo Fünfzehn steh'n und Zwei hinein geh'n, da haben auch noch Zwei Raum genug. Doch halt, wer ist das?"

Seine Aufmerksamkeit lenkte sich auf einen herankommenden Mann. Die Andern folgten Gilgs Blicken.

„Es ist ein Weinzierl!"

„Ich glaube ihn zu kennen."

„Ja, ja, es ist der Mathis Wolf."

„Was fällt Dir bei, der Mathis Wolf ist viel größer."

„Ein Fremder ist's."

Während die beiden Weinzierl diesen kurzen Wortwechsel führten, wendete Gilg von dem Ankommenden kein Auge.

Dieser blieb in einiger Entfernung stehen, winkte den Bäcker Zellhauer zu sich, sprach einige leise Worte mit ihm, worauf sich Beide in das Haus begaben.

„Er ist's!" rief jetzt Gilg Stößl aus, „bei meiner armen Seele, er ist es, der Schelm, der Racker der Gaudieb; da hinein ist er gegangen, da drinnen steckt er — wenn die Wiener es wüßten, doch halt — welch ein herrlicher Gedanke! Wenn ich — das wäre eine prächtige Gelegenheit — o, gnädiger Herr, ich habe die Angst jenes Nachmittages noch nicht vergessen, wo ich bei der Plünderung der Kaiserer festgenommen, mitgeschleppt, und beinahe in das Gefängniß geworfen wurde; damals hab' ich Euch Vergeltung mit Wucherzinsen geschworen, und ich will mein Wort halten!"

Lorenz sah seinen künftigen Schwager staunend an, und wußte nicht, was er von dessen plötzlichem Eifer zu halten habe. „Ich verstehe kein Wort von Eurem Gerede!" sprach er zu Gilg.

„Sollt mich gleich verstehen. Wißt Ihr, wer der Fremde ist, welcher mit Herrn Zellhauer in das Haus ging? Der flüchtige Wiener Bürgermeister ist's!"

„Was, der Holzer?"

„Ja, derselbige, und nun steht mir bei —"

„Was wollt Ihr beginnen?"

„Wir wollen das Land von einem Scheusal befreien, wir wollen ihn fahen, und dem Herzoge ausliefern."

Der Antrag Gilgs fand kein ungeneigtes Ohr, denn für diesen Fang war ein hübscher Lohn zu erwarten. Man schritt rasch zur That. Noch einige bekannte Nußdorfer wurden mit ins Geheimniß gezogen, man schaffte Waffen herbei, versah sich mit Stricken, und suchte von rückwärts in Zellhauers Haus zu gelangen. Gilg Stößl war der Anführer und Leiter des Ueberfalls.

Der verkappte Holzer, nicht ahnend, welche Gefahr ihn bedrohe, sprach sehr bringend mit dem Bäcker.

Diesen zählte er noch kurz früher zu den Seinen.
Er wollte daher durch ihn einige seiner wärmsten
Anhänger aus Wien nach Nußdorf bescheiden, um
den Stand in der Stadt genau zu erfahren, und mit
den Städtern Pläne für die Zukunft zu fassen. Aber
Zellhauer war dem Antrage nicht geneigt. Die letzte
Treulosigkeit des Bürgermeisters hatte ihm alle Herzen
entfremdet; man fing endlich an einzusehen, daß er
seine Anhänger nur als Mittel benütze, um die eig-
nen Pläne zu erreichen, ohne dabei nur die mindeste
Rücksicht auf das Wohl der Bürger und des Landes
zu nehmen. Holzer bemühte sich vergebens, dem
Bäcker die Nothwendigkeit seines Begehrens begreiflich
zu machen; im Eifer der Rede überhörte er ganz das
Geräusch der Herankommenden, und war daher wie
vom Schlage gerührt, als plötzlich die bewaffneten
Landleute in die Stube traten.

Die Gefahr des Augenblickes erfassend, bemeisterte sich Holzer augenblicklich, und wandte sich mit
erheuchelter Gleichgültigkeit an den Zellhauer, indem
er sprach: „Habt Ihr, werther Meister, mit diesen
Leuten zu unterhandeln, so will ich mich entfernen.“

„Thut nicht Noth,“ sprach Gilg Stößl, „denn
wir kommen zu Euch, und nicht zu dem Meister.“

„Und was wollt Ihr von mir?“

Gilg versetzte: „Was können Bewaffnete von einem flüchtigen Verräther wollen?"

Holzer kniff die Lippen zusammen. „Ich verstehe Euch nicht, Ihr irrt Euch," stammelte er.

„Ich irre mich nicht, Herr! Ich bin Gilg Stößl, Jakob Mainharts Knecht, ich kenne Euch zu gut, und Ihr, Ihr seid der gewesene Bürgermeister Holzer, jetzt mein Gefangener."

„Du unterstehst Dich, Schurke?" rief dieser dem Gäuknecht zu.

„Werft mit den Schurken nicht so herum, Herr Holzer!" erwiederte Gilg, „es könnte einer davon auf Euch selbst zurück fallen."

„Ihr habt mich verrathen!" rief der Bedrohte dem Bäcker zu.

„Thut dem Meister kein Unrecht," nahm Gilg wieder das Wort, „ich — ich habe Euch auf der Straße erkannt, und den Ueberfall eingeleitet. Wäre Herr Zellhauer gesonnen, Euch beizustehen, so gälte die Gefahr ihm so gut als Euch. Und nun ergebt Euch!" —

Holzer hatte nicht Zeit, seinen verborgenen Dolch hervorzuziehen, denn schon hatte sich ihm Gilg entgegen geworfen, und ihn umschlungen. Die Andern sprangen herbei. Der Widerstand war vergebens, der Bürgermeister wurde übermannt, gebunden und fortgeführt.

Die Strafe des Himmels hatte schon früher ihren Anfang genommen; nun sollte auch die Schmach beginnen. — — — —

— — — Eine Stunde später. — — — —

In den Straßen Wiens wimmelt es von Menschen.

Welch eine Scene!

An der Spitze eines kleinen Häufleins schreitet Gilg Stößl, Mainharts Knecht; hinter ihm kommt ein kleiner Kreis von bewaffneten Landleuten, in deffen Mitte ein Roß geführt wird. Auf diesem sitzt gebunden der flüchtige Bürgermeister — Wolfgang Holzer!

Seine Glieder hängen schlaff hinab, seine Züge sind verstört, seine Wangen todtenbleich. Bart und Haupthaar hängt wirr hinab, der Blick ruht düster auf dem Knopf des Sattels.

Der Weg geht durchs Schottenthor gen die Burg.

Das Volk strömt herbei.

„Haben sie ihn endlich erhascht?"

„Gilg, Du bekommst von mir einen Gulden für den köstlichen Fang."

„Wie geht es, Herr Bürgermeister Judas?"

„Wolfgang! laß Dein Rößlein traben!"

„Da, haft Du eine kleine Zehrung mit auf den Weg!" — Der dies sprach, warf mit Koth nach dem Gefangenen.

Mehrere wollten dem Beispiele folgen, allein eine Stimme schrie: „Laßt das, lieben Freunde, wir beschmutzen ja unseren Straßenkoth!"

„Deine Freunde im Biber= und Kärnerthurme harren schon auf Dich."

„O Du garstiger Schelm!"

„Du Fraiser aller Fraiser!"

„Du großer Ritter von der Krausen."

„Ja, ja, einen Bösen braucht man nicht zu suchen mit dem Licht, er selbsten an den Tag sich bricht."

Einer sprang in den Kreis, riß heftig an dem Bart des Bürgermeisters und johlte: „Die Katze läßt das Mausen hart, drum reiß' ich aus Dir Deinen Bart!"

„Verräther — Schelm — Judas — Hund — Räuber!" —

So schrie es von vielen Seiten und Enden, und unter solcher Begleitung langte Holzer in der Burg an.

In seinem Innern wüthete während dieser schmach= vollsten Scene seines Lebens der heftigste Sturm. Solchen Empfang von Seiten des Volkes, dessen Abgott er vor Kurzem noch gewesen, und noch immer zu sein glaubte, hatte er nicht erwartet. Jeder Hohn, jedes Wort schnitt wie ein scharfes Glas in seine Seele, die Mißhandlungen raubten ihm fast das Bewußtsein, sein Blick verglaste sich, sein Gehör verbumpfte, er hörte nur mehr ein wirres Schreien, Rufen, Johlen, ohne die Reden zu verstehen; er sah keine einzelnen Gestalten mehr, denn die Tausende verschwanden zu einem chaotischen Ganzen vor seinem Blicke, er war fast empfindungslos geworden.

Endlich wurde es immer ruhiger und stiller um ihn, sein Auge klärte sich auf, seine Ideen entwirrten sich, er kam ganz zu sich, blickte auf, und befand sich in einem hohen Gemache. Ihm gegenüber stand mit zornfunkelndem Blicke — Herzog Albrecht.

Der Bürgermeister athmete leichter auf, ein Theil der Schmach war zu Ende, er stand dem Fürsten gegenüber. Holzer sammelte sich, und ertrug das minutenlange Anblitzen des Herzogs.

Die wilde Miene dessen verrieth den Sturm, er brach los: „Elender Bösewicht! so stehst Du Uns endlich gegenüber!"

Holzer antwortete nicht, ein finsterer Trotz sprach aus seinen Augen.

„Antworte!" fuhr der Herzog wild fort, und seine Unterlippe erzitterte vor Grimm und Wuth, „sprich, wie hast Du Uns gegenüber gehandelt? Wo-

13*

her jene nie erhörte Verrätherei, die Du aussersonnen, um Uns zu stürzen?"

Jetzt nahm der Andere das Wort und sprach: "Ihr scheltet mich, Herr Herzog, einen Elenden, einen Bösewicht, und doch, sagt offen, wer zwischen uns hat des Bösen mehr gethan, Ihr oder ich? Legt die Hand an Euer Herz, und gebt mir offenen und wahren Bescheid. Ihr, Herr Herzog, seid des Kaisers leiblicher Bruder, ein Vater hat ihn und Euch gezeugt, eine Mutter hat ihn und Euch unter ihrem Herzen getragen, und wie, wie, frage ich, habt Ihr gegen ihn gehandelt? — Ich — ich bin nur ein Unterthan, ein Vasall, ein Fremder, uns knüpfen nicht Bande des Blutes, meine Schuld steht gegen die Eure wie ein Zwerg neben einem Riesen da. Und dann, auf wessen Veranlassung, zu wessen Nutzen geschah dies Alles, was ich that? Wart Ihr es nicht, der mich bewogen und dazu gebracht, habt Ihr mir nicht getreulich beigestanden? Wem habe ich den Weg in die Burg seiner Ahnen gebahnt? Wen habe ich zum Herrn von Wien gemacht? — Euch, Herr Herzog — Ihr — Ihr wart mein Günstling, und nun, nun, da ich mich von Euch wende, nun, da ich gefunden, dass ich mich arg in Euch getäuscht, und meinen Fehler bessern wollte: nun scheltet Ihr mich einen Elenden, einen Bösewicht!"

Der Herzog schäumte. Solche Worte hatte er noch nie anhören müssen. Wie ein Wüthender schrie er: „Lotter — Schalk — Bube — solche Reden — Uns, dem Fürsten?!"

Holzer erwiederte kalt: „Meine früheren Worte enthalten mein ganzes Recht, denn ich weiß, von nun an wird man mich nicht mehr hören, sondern nur verdammen. Ich habe gesprochen, und fürchte für die Zukunft nichts mehr."

„Ja," rief Albrecht, „Du hast genug gesprochen — schon zu viel — Wir aber wollen Dich lehren, die Zukunft zu fürchten. Wir wollen ein Loos über Dich verhängen, gräßlich, schrecklich, unerhört, wie es noch keinem Sterblichen zu Theil geworden. Wir wollen Unsern Geist anstrengen, um für Dich eine Strafe zu ersinnen, eine Strafe, würdig Deines Vergehens, Deiner Verrätherei. Wolfgang Holzer, elender Knecht, den Wir so hoch gehoben, Du undankbare Schlange, die wir an Unserem Busen erwärmt und zum Leben gerufen — Du verkäuflicher Söldling, gedungener Mörder, — Wir wollen Dich schon zum offenen Bekenntnisse bringen, Wir wollen Dich quälen, martern, recken, foltern, einen Blutstropfen nach dem andern aus dem verruchten Herzen sickern lassen — und noch nach Jahrhunderten soll man mit Schrecken und Entsetzen von Deinem Tode sprechen."

Der Herzog stürzte aus dem Gemache.

Wolfgang Holzer wurde in das Gefängniß gebracht. — — — — — — — — — —

Es war Donnerstag am 14. Tage des Ostermonds.

Der gewesene Bürgermeister hatte bereits drei Abende im Kerker verlebt, derjenige, welcher eben jetzt herannahte, sollte der vierte werden.

Welch ein Bild!

Noch vor wenigen Tagen. frei, hoch gestellt, kräftig, voll Thätigkeit, und nun gefangen im düsteren Kerker, gestürzt, matt, auf einem Strohlager ruhend: wer hätte in diesem Menschen noch den früheren Holzer erkannt?

Welch ein düsterer Aufenthalt in diesem engen, hohen Thurme! — Am Tage jene trübe, kühle Dämmerung, welche die Gegenstände kaum von einander unterscheiden läßt, und in der Nacht, o in der Nacht erst jene tiefe, starre, undurchdringliche Finsterniß, die sich wie eine dichte Binde um das Auge lagert; wer möchte in einem solchen Orte wohnen und nicht verzweifeln?

Der ehemalige Bürgermeister ruhte auf dem Lager, von Zeit zu Zeit stöhnte er auf, nur dadurch erkannte man die Gegenwart eines sterblichen Wesens, denn sonst war's finster — tobtenstill.

Nach einiger Zeit hört man's vor der Thüre außen knarren, der Riegel klirrt, das Schloß geht auf, und ein Mann mit einer verdeckt gehaltenen Lampe, welche er erst im Gefängnisse enthüllt, tritt ein. Die Thüre hinter ihm schließt sich wieder, er stellt die Lampe auf den Boden und nähert sich dem Gefangenen.

„Herr Holzer!" begann er — doch der Angeredete unterbrach ihn, und rief freudig bewegt: „Bist Du es wirklich? O mein Himmel! kaum hätte ich geglaubt, daß Du meine Bitte so schnell erfüllen würdest."

Es war — Heinrich Blumtaler.

Der Jüngling antwortete rasch: „So wie immer, habt Ihr mir auch diesmal Unrecht gethan. Euer an mich gesandter Bote hatte mir kaum Eure Lage und Euren Wunsch, mich noch einmal sprechen zu wollen, mitgetheilt, so eilte ich auch schon schleunigst hierher. Nur mit Mühe gelang es mir, von dem Kerkervogt die Erlaubniß zu einer kurzen Zwiesprache mit Euch auszuwirken. Was wünscht Ihr, Herr Holzer?"

Die letzte Frage geschah in einem so rührenden Tone, daß der Gefangene erbebte, und seine zitternde Rechte dem jungen Manne entgegen streckte: „Heinrich," bat er, „kannst Du mir verzeihen?"

„Ich habe Euch nichts zu verzeihen, Herr Hol⸗
zer; im Gegentheil, ich bin Euch verpflichtet, denn
durch Euer hartnäckiges Schweigen habt Ihr mich zu
einem Entschlusse gezwungen, dem ich das Glück mei⸗
ner jetzigen Lage schon danke, und vielleicht auch noch
jenes meines ganzen übrigen Lebens zu danken ha⸗
ben werde.“

„Du beschuldigst mich noch immer eines hart⸗
näckigen Schweigens? Solltest Du es noch nicht
wissen, daß ich nicht reden durfte, daß ein mächti⸗
ger Wille meine Zunge in Fesseln legte? Nun aber,
da Alles verloren, Alles unwiederbringlich verloren ist,
nun will ich sprechen, nun will ich den Schleier lüf⸗
ten und Dir offenbaren —“

„Schweigt!“ unterbrach ihn Blumtaler rasch,
„sprecht nicht, ich mag es von Euch nicht hören,
denn schon hat ein Anderer —“

„Wie, Du weißt?“ —

„Ich weiß es fast gewiß aus seinem eigenen
Munde.“

„Wie? Er selbst, der Herzog —“

„Ja, er selbst. Doch nun genug davon. Mich
drängt es nicht mehr, den Schleier ganz hinweg zu
zerren, denn die Gewißheit würde mich nicht glücklich
machen. O mein Himmel! welch’ schöne Träume
waren es, als ich mir meine unbekannten Eltern in

einem Bürgerhause dachte; fromm, frieblich und arm, so wähnte ich sie zu finden, so hoffte ich's, so hätt' es mich erfreut; ich wäre in ihre Hütte eingezogen, mein Fleiß hätte sie genährt, meine Sorgfalt sie beglückt; ich hätte sie umhaucht mit einem Kranz von Freuben, dessen Blüthen aus dem reinsten Kindesherzen gekeimt wären. Ja, Herr Holzer, meine Eltern zu erfreuen, zu beglücken, das hätte mich entzückt, hoch beseligt; aber so — so wie ich ahne, daß es ist — so — beim Himmel! — so mag ich's nicht wissen, so kann das Wieberfinden der Meinen mir kein Glück gewähren."

Holzer seufzte tief auf: „Recht, recht — er verbient es nicht, am Kindesherzen zu ruhen, der Wütherich — o sieh mich an, Heinrich, sieh mich an, wie mich seine Henkersknechte zermartert haben. Auf die Folter haben sie mich gespannt, sie haben mich gereckt unb gepeinigt, aber ich hab' es ertragen, unb doch nicht gesprochen, mitten in ben gräßlichsten Qualen dachte ich mir den Augenblick, in welchem er über meine standhafte Verschwiegenheit wüthen unb schäumen würde, unb dieser Gebanke verlieh mir Kraft unb Ausbauer. Doch nicht von mir, von Dir wollte ich ja sprechen. Ich habe Dich Jahre lang wie mein Kind, wie meinen Sohn gehalten, denn mir wurdest Du von Deinem Vater anvertraut, unb ich mußte

für Dich haften und bürgen; daher meine Verschwie=
genheit, daher meine Angst, als ich vernahm, Du
wolltest mein Haus verlassen, daher meine Verzweif=
lung, als Du Dich der kaiserlichen Partei hinneig=
test, in welcher Du dem Vater feindlich gegenüber
stehst."

„Dies Alles, damals so unbegreiflich, wurde
mir bei der Enthüllung des Geheimnisses nur zu
klar. O mein Himmel! welch ein unseliger Stern
waltet über mir! Ich, der früher mit ganzer Seele
an dem Gedanken, meine Eltern zu finden, gehangen,
ich fürchte jetzt den Augenblick, wo er zu mir sprechen
wird: Ich, ich bin Dein Vater! — Er, mein
Vater, den ich fürchten muß und nicht lieben kann,
ich sein Kind, gebrandmarkt schon durch die Geburt:
wer wird mir diesen Flecken von der Stirn wischen,
wer wird mir einen Namen geben? Denn den seinen
kann und darf ich ja nimmer führen." ·

„Der Kaiser, der Kaiser vermag Alles!" entgeg=
nete Holzer, „halte treu zu dem Kaiser, und er wird
Dein Glück gründen, aber bewahre auch das Ge=
heimniß Deiner Geburt, denn es könnte Dir mäch=
tige Feinde gebären, und Dein Lebensglück wär' zer=
trümmert."

„Das will ich, und deshalb meide ich auch in
des Herzogs Nähe zu kommen, damit mir ja keine

Gewißheit werbe, und jede fernere Erklärung unmöglich sei."

Kurzes Stillschweigen trat ein.

Blumtaler ergriff Holzers Hand und fragte:
„Habt Ihr mir sonst nichts mehr zu künden?"

„Nichts. Was ich Dir bekannt geben wollte,
weißt Du schon."

„Alles?" fragte Heinrich dringend.

„Alles," entgegnete Holzer.

„Und von meiner Mutter wißt Ihr mir nichts
zu erzählen?"

„Nein, darüber blieb ich immer im Dunkeln.
Ein Anderer hätte Dir wohl viel darüber sagen können, allein er weilt nicht mehr unter den Lebenden.
Nur so viel weiß ich, daß Deine Mutter ein Fräulein aus edlem Hause gewesen, daß man Dich mit
Gewalt von ihrer Seite gerissen, und daß sie Dich
für todt hält. Ich glaube, es dürfte gewiß der Zeitpunkt kommen, in welchem Dir Dein Vater auch dieses Räthsel lösen wird."

Der eintretende Kerkervogt mahnte den jungen
Mann, daß die gestattete Frist verstrichen, und daß
der Augenblick der Entfernung gekommen sei.

Heinrichs Brust wurde von tiefer Theilnahme
bewegt; der Gedanke, daß er diesen Mann, in dessen
Nähe er so lange geweilt, im Leben wahrscheinlich

nimmer fehen würde, diefer Gedanke erfüllte ihn mit
einem Gefühle, welches faft dem Weh glich. So
lange diefer Mann von der Sonne des Glückes um=
funkelt ihm gegenüber ftand, vermochte er nie ein
Herz zu ihm zu faffen, fo lange er ihn mitten in
dem Gewirre von Umtrieben befchäftigt fah, wandte
fich fein Auge mit Ekel von ihm; allein nun in die=
fem Augenblicke, hier auf dem Strohlager, im Ge=
fängniffe, mit zermarterten Gliedern, nun da ein zwar
gerechtes, aber dennoch gräßliches Verhängniß ihn
erreicht hatte, nun fchmolz der Widerwille des edlen
Herzens, und warme Theilnahme erfüllte es.

„Herr Holzer,“ fprach er mit Rührung, „kann
für Euch noch Etwas gefchehen?“

Der ehemalige Bürgermeifter fchüttelte verneinend
das Haupt, und antwortete: „Nichts — nichts —
ich bin verloren — rettungslos verloren!“

Heinrich reichte ihm fchweigend die Hand, er
faßte und drückte fie.

„Lebe wohl, Blumtaler,“ flüfterte er, „fieh, wahr=
haftig, ich hätte nicht gewähnt, daß der Abfchied von
einem Menfchen mich noch fo erfaffen könne. Ich,
der unter Folterfchmerzen keinen Wehruf ausftieß,
dem die unmenfchlichften Qualen keine Thräne erpref=
fen konnten, mir wäre jetzt bald das Auge feucht ge=
worden. Aber ’s ift nichts, es war nur ein Augen=

blick, wo man dem Weibe näher ist, als dem Manne.
— Leb' wohl, Heinrich — der Himmel mache Dich
glücklich, so glücklich, als Du es verdienst." —

Blumtaler schied traurig.

Holzer blieb allein.

„Ob für mich nichts mehr geschehen könne,"
wiederholte er, nach einer Weile leise: „ das waren
Heinrichs letzte Worte; o es könnte wohl, allein es
wird nicht — jene, für die ich zuletzt thätig war,
können nicht, und die Andern wollen nicht. Mir
könnte nur Eines helfen, das Volk, und dieses hat
sich von mir gewendet, ist mir treulos; mir kann nicht
geholfen werden. So geht also das Leben zu Ende,
ich stehe an der Grenze meiner irdischen Bahn; der
stolze Gedanke, daß ich so plötzlich, mit e i n e m Male
nicht fallen könne, ist zur Lüge geworden, er war
Täuschung, so wie alles Andere, das ich errungen,
oder nach dem ich geschmachtet; er war Täuschung,
so wie mein ganzes Leben ein Wahn! — Warum
hab' ich mich auch hineingedrängt in jenes gefähr-
liche Treiben zwischen jenen unseligen Haß zweier
Fürstenbrüder? Wie zwei mächtige Steine treiben sie
sich im wirbelnden Kreise, beide gleich fest, beide gleich
hart; sie selbst schaden sich nicht, aber weh dem Korn,
welches dazwischen hineinfällt! Und ich war dieses
Korn, ich wurde zerrieben, zermalmt! — Ich weiß

nicht, was es ist, aber zentnerschwere Last preßt heute
meine Brust, wie eine düstere Wolke durchzieht es
mein Gemüth, mir ist's so bang, so weh, wie noch
nie, es erfaßt mich eine unheilvolle Ahnung, als ob
dies die letzte Nacht meines Lebens wäre. Heiliger
Himmel! — die letzte schon — und ich — ich habe
vergessen, daß der Weg so lang, daß das Ziel die
Ewigkeit ist! — Die letzte Nacht, nein, nein!
Das wäre zu gräßlich, dies kann nicht die letzte
Nacht sein, ich bin ja allein — allein — und Niemand ist da — dem ich — horch — die Thurmuhr
— wahrhaftig — zwölf dumpfe Schläge — Mitternacht — die letzte Mitternacht — und ich habe Niemanden — Heinrich — sonst Niemanden? — Halt,
meine Mutter — o meine arme, vergessene Mutter
— Du grausame Unheilbotin — Mutter, hast auch
Du mich verlassen?" —

Die Gefängnißthüre ging auf, eine Frauenge-
stalt schritt herein; es war dieselbe Matrone, welche
dem ehemaligen Hubmeister an den Ufern der Wien
entgegen getreten war; es war dieselbe Matrone,
welche dem neuerwählten Bürgermeister so gräßliches
Unheil verkündet hatte; ebenso wie damals stand sie
jetzt dem Gefallenen gegenüber, den Stab abwehrend
vor sich hingehalten, und mit eben derselben tiefen,
markerschütternden Stimme, wie damals, sprach sie:

„Bleibe ruhig, bleibe fern von mir, wenn Du mich nicht vertreiben willst; Du nennst mich Deine Mutter, ich aber nenne Dich nicht mehr meinen Sohn, denn ich habe Dich verstoßen, habe Dich aus meinem Herzen gerissen, so wie man eine faule Frucht vom Aste schüttelt; ich habe Dich verflucht!"

„Weh mir!" kreischte Holzer auf, und die Eisigkalte fuhr fort: „So habe ich Dir zugerufen, und Du Unwürdiger hast mich nicht hören wollen; nun ist's zu spät, Dir ist nicht mehr zu helfen, nun windest Du Dich vergebens auf dem Lager, Du bist verloren!"

Holzer wollte sich aufraffen, aber er vermochte es nicht, sein Odem war kurz, er stützte sich mit den schwankenden Händen auf das Lager und blieb in sitzender Stellung.

Die Matrone fuhr fort: „Doch ich bin nicht gekommen, Dir diese Stunden zu verbittern, denn wisse, es sind die letzten —"

„Die letzten?" schrie Holzer auf.

„Ja, die letzten! Ich will Dir einen Dienst erweisen. Du hast selbst gesprochen, der Weg sei weit, das Ziel die Ewigkeit, ich will Dir die Last erleichtern, jene Last, welche mit Riesenwucht Dein Herz preßt. Schußel Spüler! sei wahr, offen, nimm keine Lüge mit, denn Lügen drücken schwer;

bekenne — bekenne — Du haſt Dich durch Trug und Liſt in Kreiſe gedrängt, für die Du nicht be-ſtimmt warſt."

„Ja, das hab' ich!"

„Du haſt, von falſchem Ehrgeiz geleitet, nach Würden und Aemtern getrachtet, und ſchlechte Mittel angewendet, Deine Wünſche zu erreichen."

„Ja, ich hab' es!"

„Du haſt die Gemüther friedlicher Bürger un-zufrieden gemacht, ſie aufgewiegelt, aufgeſtachelt, bis ſie gegen ihren rechtmäßigen Fürſten in offene Empö-rung ausbrachen."

„Ja, auch das!"

„Du haſt den Haß zweier Brüder noch heller auflobern gemacht, haſt Blutvergießen herbeigeführt, haſt friedliche Bürger plündern laſſen, haſt Dich mit fremdem Gute bereichert —"

„Allmächtiger! — ja, ja, dies that ich!"

„Du haſt über ein Land, über Dein Vater-land, den Krieg herauf beſchworen."

„Weh mir, auch das!" —

„Du haſt den ungerechten Anſprüchen eines ſün-digen Fürſten gedient, und am Ende ihn ſelbſt wie-der verrathen — |6000 Gulden war der Preis des Bubenſtückes — Du haſt alſo, um Deinem Handeln

die Krone aufzuſetzen, einen Verrath im Verrathe
geübt."

„Heiliger Himmel! — ja — ich hab' es!"

„Bei Dir war jeder Hauch eine Lüge, jede Bewegung ein Vergehen, jeder Schritt eine Sünde! —
Unruhſtiftend, von Liſt und Trug umgeben, von Falſch-
heit und Habſucht gefolgt, ſo legteſt Du Deine Bahn
zurück; Du biſt ein Dieb, ein Brandſtifter, ein Mörder, ein Räuber — Du biſt ein Verräther, ein Un-
gethüm in der Geſtalt eines Menſchen."

„Mutter!" heulte Holzer auf.

„Bleibe ruhig, Elender! wenn Du nicht willſt,
daß ich von Dir gehe. Du haſt geklagt, daß Du
allein ſeieſt, Du haſt mich herbei gewünſcht, und
nun, da ich gekommen, willſt Du mein Wort nicht
hören. Oder willſt Du die letzten Stunden, ſo wie
Dein ganzes übriges Leben, in Lüge verbringen?"

„Nein, nein, ich will es nicht, ich habe ja bekannt."

„Damit haſt Du nur Dir gedient und Deine
Bruſt erleichtert, und nun vernimm noch einen Rath,
den letzten, den ich Dir gebe. Du wirſt morgen öffentlich den Tod erleiden; verbring' dieſe Nacht, die
letzte, in Reue, und bekenne vor Deinem Tode dem
ganzen Volke gegenüber Dein Unrecht; leide ergeben,
was der Wille des Himmels über Dich verhängt,

und gehe nicht halsstarrig ein zum ewigen Gericht. Ich scheide —"

„Noch nicht!" kreischte der Gefangene. „Mutter! nur einen Augenblick noch verweilt — bei dem ewigen Heil meines Vaters beschwöre ich Euch, verweilt nur noch einen Augenblick!"

Die Matrone, welche sich schon zum Abgehen gewendet hatte, blieb stehen, sie kehrte ihm wieder ihr bleiches Antlitz zu, und sprach: „Was willst Du noch? — Rede!"

„Mutter!" fuhr der Unglückliche flehend fort, „erhört mich, eine Frage, eine Bitte. In den drei wichtigsten Augenblicken meines Lebens seid Ihr mir entgegen getreten, einmal ermahnend; dann mich verfluchend, und jetzt mich tröstend. Nehmt meinen Dank, meinen kindlichsten Dank dafür. Doch Eines, Eines sagt mir nur: ich weiß nicht, wie es kommt, daß Ihr lebt, denn in der Heimath sagt man, Ihr wäret vor Jahren gestorben, und doch steht Ihr leibhaftig vor mir, gleich einem Wesen, dieser Welt angehörend."

„Ich hab' es Dir schon gesagt: ich bin todt, aber nur für Dich."

„Welch ein Räthsel! Mutter — laßt mich Euch berühren, Eure Hand an meine Lippen drücken."

„Wag' es nicht."

„Ihr seid also kein lebendes Wesen?"

„Du irrst, ich lebe!"

„Hier? Unter uns, unter Menschen?"

„Morgen Vormittags um die elfte Stunde wird der Schleier von Deinen Augen sinken, und Du wirst die Wahrheit erkennen!"

Langsamen Schrittes verließ sie nach dieser Verkündigung das Gefängniß.

Wolfgang Holzer war wieder allein.

Die Nacht rauschte mit ihren Geistesschwingen, und schwand langsam von dannen.

Um den Gefangenen herrschte Grabesschweigen, aber in ihm tönte noch lange fort die anklagende innere Stimme. — — — —

— — Ein blutiger Morgen zog herauf.

Ein Morgen, so blutig, als ihn immer ein Fürst, wie Herzog Albrecht VI., heraufbeschwören kann.

Es war am fünfzehnten Tage des Ostermonats, an einem Freitage.

Eine Menge Volkes strömte herbei, denn auf dem Hof waren die Galgenzimmerleute bereits seit Mitternacht mit der Aufführung eines Gerüstes beschäftiget, welches zur Richtstätte dienen sollte.

Die Wiener hatten ein Schauspiel zu erwarten, so gräulich, wie noch keines innerhalb ihrer Mauern stattgefunden.

14*

Die Feder sträubt sich, es zu beschreiben; wir
würden es nur oberflächlich erwähnen, fände nicht in
demselben eine unserer Hauptpersonen ihr Ende; drum
müssen wir der Wahrheit der Geschichte folgen,
wir können, wir dürfen sie nicht verhehlen; aber
wir wollen ein Mittel benutzen, das uns geboten ist,
wir wollen mildern; — statt zu beschreiben,
wollen wir die Thatsachen nur einfach erzählen;
es wäre zu gräßlich, solche Scenen auch noch aus-
malen zu müssen.

Die Geschichte aber, die treue, unbestechliche
Begleiterin der Fürsten, hat diesem blutigen Bilde ein
Blatt gegönnt, und dieses Blatt wird noch nach Jahr-
tausenden von der zügellosen Gier eines Mannes zeugen, den das Geschick an der Wiege schon so hoch
gestellt, der sich aber selbst so tief erniedrigt hat.

Einen schlechten Menschen ereilte zwar bei diesem Gerichte der Lohn seines schlechten Handelns, aber
die Art und Weise, wie dies geschah, bleibt doch immer so empörend, so unmenschlich, daß man den
Namen des Richters nur mit Abscheu nennen kann.

Kaiser Maximilian, der Sohn Friedrichs,
pflegte, so oft von seinem Ahn, dem ersten Habs-
burger, die Rede war, stets sein Barett vom Haupte
zu ziehen und sich zu verneigen; wenn sein Gedächtniß auf Friedrich den Schönen geleitet wurde,

so füllten Thränen das sanfte, blaue Auge; aber wehe dem, der es gewagt hätte, in seiner Gegenwart den Namen seines Ohms, Albrecht des Sechsten, zu nennen; für ihn war Albrecht ein fremder Tropfen im habsburgischen Blute!

Doch nun rasch zu den Gräueln; wir können uns ihrer nicht erwehren, also dran und drauf, flüchtig darüber hinweg, so wie ein scheues Wild über einen bodenlosen Moorgrund! — — — — — —

Es ist acht Uhr Morgens. — Die Sonne ist rasch aufgestiegen. — Ein blutiges Licht auf ein blutiges Bild!

Ein hoher, schwarzer Wagen hält vor dem Schergenhause in der Wipplingerstraße.

Die Verurtheilten besteigen ihn.

Diese sind: der Hauptmann Augustin Tristam, die Bürger Oswald Reicholf, Sebastian Ziegelhauser, Hanns Burghauser, Jörg Hollabeck, Hanns Oedenacker und Wolfgang Holzer.

Also sieben Opfer, theils schuldige, theils unschuldige; denn Einige von ihnen waren von je des Holzer erbittertste Feinde.

Der Wagen, von Söldnern umgeben, setzte sich gen den hohen Markt in Bewegung. Straße, Platz, Fenster, Dächer waren mit Menschen besäet. Unter der Schranne hielt der Zug.

Ein Trommetenstoß gebietet Stille, darauf ertönt der Ruf: „Es möge Niemand die armen Sünder mit Worten ängstigen!"

Dann war es still.

Augustin Tristam mußte vom Wagen steigen, einige Minuten später, und — er war enthauptet.

Nun setzte sich der Zug von Neuem in Bewegung. Es ging gen den Hof zu. Die noch übrigen sechs Opfer sahen sich an. Das war ein böses Zeichen.

Der Hof ist ein schöner geräumiger Platz, das Gerüste prangte wie ein würdiges Denkmal des Herzogs in dessen Mitte. Auch hier sind alle Räume besetzt.

Manches Herz pocht, aber mancher Sinn strebt jetzt schon nach den Würden und Reichthümern der Opfer.

Auf dem Gerüste stand der Hucher*) mit seinen Gehülfen. — Schragen, Messer, Haken, Seile, Alles war in Bereitschaft. Ein viel grausamerer Tod war für die Bürger bestimmt.

Als die Verurtheilten dies gewahrten, erbleichten sie. Oswald Reicholf und Ziegelhauser rangen die Hände, und wandten sich, um Erbarmen flehend, an die Menge.

Es fruchtete.

Einige aus der Gemeinde eilten zum Herzoge,

---

*) So hieß damals der Nachrichter.

daß er die Gefangenen zum Schwert begnadigen möge. Mit der Vollstreckung des Urtheiles wurde indessen inne gehalten.

Entsetzliche Stille, verzweiflungsvolle Erwartung!

Der Herzog mußte nachgeben, wollte er nicht Tausende gegen sich empören.

Die Abgesandten kamen zurück. Der Vollzug des Bluturtheils begann. Die Uebrigen bis auf Holzer wurden der Ordnung nach enthauptet.

Nun kam auch an den ehemaligen Bürgermeister die Reihe.

Er wollte sich zum Schwertstreich fertig machen, allein der Henker wies auf den Schragen.

„Was machst Du da?" fragte der Verurtheilte.

Der Andere antwortete: „Herr, Ihr müßt anders dran, Ihr seid von der Begnadigung des Herzogs ausgeschlossen. Der Spruch begehrt, Euch das falsche Herz aus dem Leibe zu reißen und die vier Theile Eures Leibes an die Straßen zu stecken für die Vögel des Himmels!"

Ein Schrei des Entsetzens rang sich aus Holzers Brust — ringsum Todtenstille — Holzer behauptete seine frühere Standhaftigkeit wieder, und sprach laut zum Volke: „Ja, ich hab' es verschuldet, an dem Kaiser, meinem rechten Herrn, den ich verrathen und gern vertrieben hätte. Aber an dem Herzoge habe ich einen solch' gräulichen Tod nicht verdient, ich ergebe mich ihm aber als ein reuiger Christ, und gedenke an der Tod des Erlösers auf dem Kreuze, den wir heute vor acht Tagen gefeiert haben."

Nach diesen Worten murmelte er leise: „Mutter! ich habe mein Versprechen erfüllt!"

Abermalige Todtenstille.

Holzer liegt auf dem Schragen.

Der Henker beginnt sein gräßliches Amt.

Kein Wehruf — kein Geschrei wird gehört — Holzer bezwingt seine Pein.

„Mutter — Gottesmutter — Mutter!" murmelte er immer in sich hinein.

Keine Ohnmacht raubt ihm die Sinne — er ist seines ganzen Bewußtseins fähig — welche Lebenskraft! — er erhebt noch das Haupt, um sein zuckendes Herz zu schauen.

„Mutter!" — haucht er, „Mutter, ich komme — zu Dir!"

Dann sinkt er zurück.

Die gräßliche Verkündigung ist in Erfüllung gegangen, er hat sein eigenes zuckendes Herz gesehen.

Es schlägt elf Uhr.

Holzer ist todt!

Das Räthsel ist gelöst.

Sechste Abtheilung.

Neuntes Capitel.

Der Frühling war mit ganzer Gewalt hereingebrochen; der holde, wonnige, süße Frühling herrschte auf der einen, und Herzog Albrecht auf der andern Seite; Du mein Himmel! der Frühling und Herzog Albrecht, welche zwei himmelweit von einander verschiedene Wesen! Jener schaffend, neu gebärend und belebend, und dieser vernichtend und vertilgend; ich glaube, hätte der Frühling seine Reize vertausendfachen können, Herzog Albrecht würde sie vergessen gemacht haben; hätte der Frühling seine Schöpferkraft verhundertfältiget, Herzog Albrecht hätte Alles verschlungen. O, es war ein gewaltiger Herr, der sich nannte den Sechsten seines Namens!!

Mit dem Blutbad vom fünfzehnten April war der Anfang gemacht. Die Bahn war gebrochen, und der Weg der Gewalt neuerdings betreten. Der Vorfall mit Holzer mußte gehörig ausgebeutet werden, das heißt, er mußte Gold tragen.

Augenblicklich waren einige Verschwörungen ent=
deckt, und sonderbarer Weise waren nur die reichsten
Bürger Theilnehmer derselben.   Friedrich Ebner,
der würdige Nachfolger Holzers im Amte des Bür=
germeisters, leistete dem Fürsten allen möglichen Vor=
schub.   Sechs Bürger, unter welchen sich auch der
ehemalige Bürgermeister Christian Brenner be=
fand, wurden festgenommen, zu einer Strafe von 2000
Gulden verurtheilt, und nachdem sie diese geleistet,
auf eine kurze Frist heimgelassen.   Bald aber wurden
sie, eines neuen Verbrechens beschuldigt, abermals
ins Gefängniß geworfen; man schreckte sie mit einem
dem Tode des Holzer ähnlichen Ende, und zwang
ihnen auf solche Weise eine Lösesumme von 25,000
Gulden ab.   Nach Böcklabruck verbannt, mußten sie
dann, bevor sie Wien verließen, sich in einer Schrift
der Strafe schuldig bekennen, und bezeugen, daß sie
ihr Leben nur der Güte und Gnade des Herzogs
verdankten.   Auf dieselbe Weise mußten sich auch an=
dere Bürger mit 19,000 Gulden lösen.   Viele ent=
gingen der Schmach durch die Flucht, sie ließen Haus
und Hof zurück, und suchten nur ihre Freiheit, ihr
Leben zu retten.   Auch Frauen und Priester wurden
nicht geschont, denn die zügelloseste Willkür ging mit
der erfindungsreichsten Grausamkeit Hand in Hand.
Welch ein Leben unter solchen Wirren in Wien.

Ob arm oder reich, groß oder klein, wer nur Etwas besaß, war nicht gewiß, ob er nicht morgen in der Schergenstube sitzen und, von irgend Jemand als Verräther bezeichnet, sein Habe und sein Leben bedroht sehen würde. Der Herzog sandte seine Späher bis in die Trink- und Badestuben; das Mißtrauen drang dadurch in alle Häuser, ja sogar in die Wohnungen von Verwandten, so daß sich Keiner vor dem Andern sicher wähnte. Albrecht schien unersättlich, denn abgesehen von den Steuern und Hulden, die in Wien allein die damals ungeheuere Summe von 300,000 Gulden betrugen*), ließ er auch noch Keller und Gewölbe durchsuchen, und was er an Waaren und Kaufmannsgütern vorfand, in Beschlag nehmen.

Als die Wiener diese unersättliche Habgier, diesen bodenlosen Fürstensäckel, diese unerhörte Willkür, diesen Druck so mächtig wie noch nie empfanden: da fingen sie doch an, sich zu gestehen, daß sie sich unter dem Kaiser eines viel milderen Regiments zu erfreuen hatten, und daß sie durch ihr Handeln an Friedrich sich die Strafe des Himmels zugezogen, welcher

---

*) Von jedem Kopfe einen Groschen — von jedem Hause einen Gulden — von jedem Joch liegenden Grundstückes einen Gulden — u. s. w.

ihnen, um sie für ihren Uebermuth und Ungehorsam zu züchtigen, einen solchen Fürsten gesandt hatte.

Michel Beheim erzählt bei dieser Gelegenheit die alte Fabel von den Fröschen in seiner einfachen Weise wie folgt:

Das Exempel von den Fröschen steht hier geschrieben.

Den Wienern ist geschehen, gleich
Als den Fröschen in einem Teich.
Da die zuerst geschaffen war'n,
Wart ihn' zu einem Kün'g erkarn
Ein Block, schwamm 'in dem Wasser
Auf und nieder, fürpasser.

Und die Frösch saßen oft darauf,
Wenn sie wollten, mit ganzen Hauf'.
Da das eine Weile ward gethan,
Da fingen sie ein Anders an,
Und suchten in den Räthen,
Wie sie den Dingen thäten,

Daß sie hätten ein'n andern Kün'g,
Der sie paß regiert und zwing',
Weil dieser Kün'g wär ihn' für nicht,
Sein Regiment wär gar entwicht,
Wann ihm Niemand gehorchte,
Auf ihn hätt' man kein Forchte!

Den Fröschen ward für diesen Blach
Ein andrer Kün'g geben darnach,

Der hätt zwei rothe Höslein an,
Auf hohen Beinen war er gahn,
Und einen langen Kragen
Den sah man hoch auftragen.

Ein' rothen Schnabel scharf und lang,
Bei dem Wasser war gern sein Gang.
Die Frösch mußten sich schmiegen fast,
Weil ihn'n viel großer Ueberlast
Derselbe Kün'g war warchen,
Man nennet ihn den S t a r ch e n.

Ein'n nach dem Andern er auf zift,
Un in seinen Kragen verschlikt.
Und da sprachen die Frösch: „Ho, ho,
Wie haben wir gewellt also!
Wann bei der ersten Kunig
Waren wir friedsam und sunnig.

Aber bei diesem haben wir nit
Auf kein' Stund Sicherheit und Fried.
Wir wüßten keines Kummers tal
Daß uns gewesen ist so wahl.
Es ist wohl ein Gehöfche!"
So sprachen die Frösche.

Desgleichen thäten die Wiener dumm,
Weil der Kaiser war ihn'n zu frumm
Und zu gütig in aller Sach.
Sie wußten nit, daß ihn'n geschach
So gütlich bei dem Kaiser
Die Fraiser aller Fraiser.

Der frumm Kaiser war in Verschmächt
Für d e n, Namens Herzog Albrecht,

Der konnt wohl mit ihn'n ume gah'n!
Ihn'n ist recht geschehen daran,
Den Bös'n und mit den Frummen
Ihr Meister. — der ist kummen! —

Diese Wirrnisse währten nicht nur in Wien fort, auch außerhalb der Stadt ging es kunter bunter genug her. Die Umgegend der Reichsstadt war der Schauplatz verheerender Scenen. Kaiser Friedrich konnte die Schmach der Belagerung nie vergessen; er war gegen die Wiener noch immer zu erbittert. Nun, da sein Plan mit Holzer fehlgeschlagen, sann er wieder auf einen andern, um den feindlichen Bruder zu stürzen, und schritt auch bald zu dessen Ausführung; nebstbei aber befahl er seinen Hauptleuten, die Hauptstadt mit Schanzen und festen Schlössern zu umzingeln, diese mit Söldnern zu bemannen, und dann ununterbrochen Ausfälle in die benachbarte Gegend zu unternehmen. Der Krieg dauerte also fort; Wien lag wie ein gehetztes Wild da, das bald von dem einen bald von dem andern der in der Runde liegenden Schlösserkette geneckt, angefallen und mißhandelt wurde. — — — — —

— — — — — — Gegen die Thore Wiens schreitet ein Mann.

Er wirft einen schwermüthigen Blick auf die vor ihm liegende Stadt und spricht: „So kehre ich

also wieder zu dir zurück; ich hab' es ja gewußt, daß
es so kommen würde; ich bin nicht lange weg geblieben, aber schon während dieser kurzen Frist hast
du der Gräuel genug erfahren; armes Wien! Du
verlockte Stadt, die jetzt schmachten muß unter der
eisernen Zuchtruthe eines eigenwilligen Herrn. Nichts
ist mir fremd geblieben von dem, was Du erlebt, ich
habe die Geschichte Deiner Tage erfahren und auf-
gezeichnet, ich will, so wie vieles Andere, auch diese
Schmach zur Kenntniß der Nachwelt bringen. So
wie ich vor Monaten deine Mauern verlassen, so ziehe
ich jetzt wieder in dieselben ein, arm und schutzlos,
nichts habend, nichts bei mir tragend, als mein dürf-
tig Kind, mein fehlerhaftes Werk, welches mir aber
deshalb doch so lieb und theuer ist, als ob es das
beste, das gelungenste wäre; mein Himmel! jedem
Vater ist sein eigen Kind, wenn es auch zwergig und
verkrüppelt ist, doch das liebste; so auch du mir, mein
Buch von den Wienern! — Doch nun rasch
hinein, die Aufträge der Herrin vollzogen! Ich will
sehen, was mir das Geschick dieses Mal in Wien
bescheert!"

Mit diesen an sich selbst gerichteten Worten zog
Michel Beheim, der kaiserliche Poet, abermals in
die Stadt ein. Rasch, mit Zuversicht in seiner stets
eigenthümlichen Haltung, durchschritt er die Straßen.

Die Vorübergehenden sahen ihn an, blieben stehen, blickten ihm nach, schüttelten den Kopf, und gingen dann ihres Weges weiter. Manche lispelten einander einige Worte zu, Andere maulten wieder vor sich hin, aber Beheim schien dies nicht zu beachten, sondern schritt seines Weges gleichmüthig dahin.

Der Poet ließ eben eine Gruppe von Bürgern hinter sich, die ihm verwundert nachschauten.

„Da habt Ihr ihn," begann der Eine nach einer Weile, „ich will des Holzers sein, wenn dies nicht jener Reimschmied ist."

„Ich halte ganz zu Euch," erwiederte ein Zweiter, „es ist derselbe Hofschlingel —"

„Doch nicht der Schelm, der uns Wienern —"

„Ja, ja, der Nämliche, der das Schandbuch schreibt."

„Daß ihm die Finger verkrummen mögen!"

„Was nützt dies? Er läßt es einen Anderen schreiben."

„So soll sein Hirn verdummen!"

„Thut auch nichts, er schreibt doch; Ihr kennt solche Narren nicht; wer einmal auf's Dichten versessen ist, der schmiedet fort, und wenn er kein korngroß Hirn mehr im Schädel hat; die Katze läßt das Mausen nicht, der Reimer auch im Grabe dicht't."

„Was mag der Schelm in Wien wollen?"

„Wie könnt Ihr nur fragen? Er kommt her,

um unfer Thun zu belaufchen, und uns dann in fei=
nem Buche herab zu läftern."

„Das ift möglich, allein ich glaub' es nicht,
denn hierzu braucht er nicht hier zu fein, und dann
würde er in diefem Falle nicht fo frei und offen ein=
her fchreiten."

„Hört mir nur mit den Poeten auf, die haben
eine kecke Stirn, und abfonderlich der Beheim, der
ift Schande und Spott gewohnt, und ift kein heuri=
ger Hafe mehr."

„Ihr feid dem Manne nicht grün. Ihr mögt
darum fagen, was Euch beliebt, ich bleibe bei meinem
Wort, der Poet ift um wichtiger Urfache willen nach
Wien gekommen!"

„Was mag es aber nur fein?"

„Vielleicht vom Hofe aus gefandt?"

„Sehr möglich!"

„Der Herzog befindet fich ja aber verweilen in
Salzburg!"

„Ganz recht; aber muß er denn gerade zum
Herzoge? Es giebt ja auch Andere, mit denen man
unterhandeln kann."

Während fich die Bürger vergebens bemühten,
die Urfache von Beheims Ankunft in Wien ausfindig
zu machen, hatte diefer die Straße im Rücken, und
befand fich bereits im Innern der Burg.

15*

In einem der Gemächer derselben saß eine hohe, stattliche Dame; ihr schönes Haupt lehnte sinnend auf der nieblichen Hand, und diese war auf einen Tisch gestützt, dessen Decke, mit buntfarbiger Holzmosaik belegt, den italischen Ursprung verrieth. Die Dame selbst prangte in karmoisinrothem Sammet, das Faltengewand floß malerisch von beiden Seiten des hochlehnigen Stuhles hinab, und bot solcher Weise dem beschauenden Auge das reizendste Bild dar. Das schwarze Haar der Dame war in breite Flechten gewunden, welche sich am Rande der hohen Stirn kronenartig um das Haupt zogen.

Das Nachdenken der Dame wurde durch einen eintretenden Diener gestört, welcher einen Boten vom kaiserlichen Hofe aus Wiener-Neustadt meldete.

Die Gebieterin winkte gütig, und in einigen Augenblicken trat Michel Beheim ein; er stand der Frau Markgräfin Katharina von Baden, der Schwester der feindlichen Brüder, gegenüber.

Der Sänger verneigte sich und schritt näher; die Dame nickte mit dem schönen Haupte, reichte dem Gesandten die Hand zum Kusse und sprach: „Willkommen, Michel Beheim!"

„Der bin ich, gnädige Frau."

„Wir kennen uns ja schon lange."

„Es muß doch nicht so lange her sein, gnädige Frau."

„Wie meint Ihr dies?"

„Mir däucht es fast, als ob noch immer derselbe Lenz nicht verflossen wäre, denn Ihr, gnädige Frau! blüht noch immer so rosig, so reizend wie damals."

Katharina drohte lächelnd, und sprach nicht ohne Ernst: „Beheim, der unbekannte Grund Eures Erscheinens flößt mir im Voraus Mißtrauen ein, weil Ihr mich bestechen wollt."

„Wir Sänger schmeicheln nicht!"

„Niemand mehr als gerade die Poeten; in ihrer Phantasie vergessen sie immer die Wirklichkeit; und sonderbar, man weiß, daß sie erfinden, daß ihre Dichtung Gemälde, oder, besser gesagt, Lüge ist, und dennoch hört man sie gern, dennoch strömt man herbei, ihr Lied zu vernehmen."

„Ich finde dies natürlich —"

„Natürlich? Wahrhaftig, das finde ich nicht."

„Erlaubt, daß ich Euch widerspreche, gnädige Frau! es ist doch so; denn in jedem echten Dichter liegt ein Stück Himmel verborgen, und dem Himmel strebt jeder Mensch nahe zu kommen."

Die Markgräfin lächelte und rief: „Euer Eigendünkel macht mich fröhlich, er ist zu riesig, um mir nicht ein Lächeln abzugewinnen."

„Thut es immerhin, gnädige Frau! Wenn ich mich erklärt habe, werdet Ihr vielleicht meine Behauptung nicht mehr so lächerlich finden. Alle Menschen erwarten ihr Glück vom Himmel, wenn aber Einer die Gabe besitzt, sein Glück aus sich selbst zu schöpfen, muß er nicht den Himmel, oder mindestens ein Stück des Himmels in seinem Herzen tragen?"

„Und diese Gabe —"

„Diese Gabe, gnädige Frau, besitzt der Poet. Sein Lied quillt sprudelnd aus der Seele, und ergießt sich ein Strom durch die ganze Welt. Sein Lied ist ein Göttergeschenk, welches mit ihm durch das ganze Leben pilgert, und ihn bis zum Grabe geleitet. Heute flieht es wie eine scheue Taube aus der Herzensarche, um ihm, wenn draußen Fluthen und Stürme toben, den Frieden in die Brust zu bringen; morgen zuckt es wie der Blitz aus seiner Seele, und schlägt und zündet, und wälzt die Flammen durch Gau und Land; hier, hier steigt es wie ein Taucher in den Herzensschacht hernieder, und holt Perlenthränen aus der Tiefe herauf; dort, dort setzt es sich wieder auf den Leichenstein, kost mit den Blumen, welche aus den Herzen der müden Schläfer zu sprossen scheinen, und erzählt ihnen die Sagen vergangener Tage und

vergangener Liebe. Und diese Lieder, gnädige Frau!
schöpft der Dichter aus seiner Brust, aus seinem Herzen; diese Lieder, die er singt im Glück und Unglück,
die ihn heute trösten, morgen erheben, die ihn jetzt
erfreuen, morgen zu Thränen rühren; diese Lieder, die
ihm die Vergangenheit stündlich vorzaubern, und wie
mit einem prophetischen Geiste die Zukunft enthüllen
lassen, ja, diese Lieder schöpft der Dichter aus seinem
Herzen, aus seiner Brust; habe ich also nicht Recht,
wenn ich sage, daß in jedem echten Dichter ein Stück
des Himmels verborgen liege?"

Die Markgräfin sah den Sänger gerührt an.
„Vergebt, Beheim!" sagte sie freundlich, „daß ich
Eure Worte lächerlich fand; in Eurem Sinne habt
Ihr vollkommen Recht, und wenn ich auch nach meinen Gedanken Manches dagegen einzuwenden hätte,
so viel ist gewiß: der wahre Sänger ist ein Günstling des Himmels, und er hat das mit allen Günst-
lingen der Mächtigen gemein, daß man sie sucht um
ihres Gebieters willen."

Beheim lächelte: „Von solchen schönen Lippen
ein solches Zugeständniß! Wär' ich in meiner Kunst
nicht ein Stümper, könnte ich mich mit vollem Recht
einen Meistersänger nennen, ich wäre stolz darauf, ein
Günstling des Himmels zu sein; doch um mich zu
trösten, und mir dafür zum Theil Ersatz zu wissen,

hat der Gütige auch mir eine Gunst zugewendet, ich meine die Gunst meiner huldreichsten Kaiserin, und als ihr Günstling stehe ich in diesem Augenblicke hier."

„Von Eleonore?!" rief die Markgräfin verwundert, „sprecht, laßt hören, was wünscht die Fürstin?"

„Ihr fragt, gnädige Gräfin, was meine Gebieterin wünsche? Die Kaiserin kennt keinen andern Wunsch, als jenen des ganzen Oesterreicher Landes, und dieser ist — Friede!"

„Und sie sendet Euch zu mir? Wer bin ich denn, daß sie von mir den Frieden fordert?"

„Ihr seid die Schwester der feindlichen Fürsten, Ihr seid eine milde, gnädige Frau, und die Gräuel unserer Tage können an Eurem Herzen nicht spurlos vorüber gegangen sein. Ihr befindet Euch in der Nähe des Herzogs, er hört Eure Worte, er traut Euch, Ihr steht ihm vielleicht unter allen Menschen am nächsten. Der Kaiser will den Frieden, das Land sehnt sich darnach, Alles ist von seiner Nothwendigkeit durchdrungen. Wohin soll dieser Zwiespalt führen, was soll das Ende solchen Hasses, solcher Verfolgung werden? Ist des Bürgerblutes noch nicht genug geflossen, ist des Elends noch nicht genug in Oesterreich?"

„Ihr sprecht von Krieg und Elend; wer ist es,

der jetzt die Wienerstadt umzingelt hält — ist's nicht der Kaiser? Sind es nicht kaiserliche Söldner, welche in unserer Umgegend wie in Feindesland wüthen?"

„Wohl ist es so, gnädige Frau! Doch habt Ihr die Schmach vergessen, welche die Wiener unserem Herrn angethan? Ich will, ich kann dieses Handeln nicht recht heißen, aber zu entschuldigen ist es jedenfalls."

„Nie, nie!" erwiederte Katharina, „meinem Herzen stehen beide fürstlichen Brüder gleich nahe; aber glaubt mir sicher, Beheim! Einzelnen gegenüber hat Albrecht zwar unfürstlich, unmenschlich gehandelt, aber dem Lande, dem ganzen Oesterreicher Lande gegenüber, ist die Schuld unter beiden Fürsten ganz gleich vertheilt, in Beider Herzen wüthet unmenschlicher Haß, und Beide lassen sich von diesem Hasse leiten. Könnt Ihr diesen Haß verschwinden machen, dann wird's Friede sein!"

„Und sollte dies Euch, gnädige Frau! nicht gelingen können? Frauenworte kommen vom Herzen und bringen zum Herzen; meine Gebieterin, die Kaiserin, hat mir ihren Wunsch auf die Seele gebunden; sie wird ihrerseits bei dem kaiserlichen Herrn Alles zum Guten zu wenden suchen, nur mögt auch Ihr beim Herzoge —"

„Die gute Frau," sprach Katharina wehmüthig,

„sie kennt Männersinn nicht, sie kennt diese eingewur-
zelten, unausrottbaren feindseligen Gefühle nicht, und
meint, dieselben ließen sich, wie eine trübe Stirn durch
ein süßes Wort, wieder glätten. O, das ist nicht;
hier ist Alles vergebens. Doch ich will mich nicht
eigensinnig dagegen stemmen, ich will, sobald der
Herzog zurückgekehrt, es versuchen, ihn zu einer An-
näherung zu bewegen; ein Waffenstillstand soll zu
Stande kommen; während dieser Frist müssen sich die
Fürsten auf einem Landtage zu einen suchen; ob
dies gelingen wird, ich getraue mich's nicht zu verbürgen; ob der zu schließende Friede von Bestand sein
wird, daran zweifle ich im Voraus schon. Und nun,
Michel Beheim, gehabt Euch wohl, bringt der kaiserlichen Schwägerin mein Wort, daß ich thun werde,
was in meiner Macht steht. Ihr habt mir mit Eurer Poetenbegeisterung einige angenehme Augenblicke
verschafft, nehmet meinen Dank dafür."

Sie reichte dem Sänger die Hand zum Kusse;
dieser führte sie mit Innigkeit an seine Lippen, und
verließ, von angenehmer Hoffnung für das allgemeine Wohl beseliget, das Gemach.

„Der eine Theil meiner Sendung ist vollbracht,"
sprach er bei sich, „nun zum andern."

Bald trat er in ein anderes Gemach der Burg.
Der Eigner desselben war Stefan Hohenberg,

der Kanzler des Herzogs. Beheim überreichte ihm
ein kaiserliches Schreiben, und nachdem es dieser gelesen hatte, sprach er zu dem Sänger: „Ich werde
dem kaiserlichen Herrn die Antwort auf meinem Wege
zumitteln, Ihr seid ja ohnedies gesonnen, hier zu bleiben. Ich empfehle Euch Verschwiegenheit, und solltet Ihr in irgend eine Verlegenheit kommen, so wendet Euch an mich, oder an Herrn Haug von Wer-
benberg, den ich jetzt zu meinen Freunden zähle."

Beheim verließ zufrieden den Kanzler und murmelte außen angelangt: „Verstehe, auf den dürfen
wir zählen, er ist unser!" — Er verließ die Burg.

Beheim, wohl wissend, wie viele Feinde er
unter jenen Wienern zählte, die zur Partei des Herzogs gehörten, that Alles, um sich ihrem Anblicke so
viel als möglich zu entziehen.

Durch Hülfe Preisings, den er durch Blumtaler kennen gelernt und jetzt aufgefunden hatte, gelang es ihm, in einem unansehnlichen Hause ein
Kämmerchen zur Miethe zu erhalten, welches er auch
alsogleich bezog. Er mied es, am Tage auszugehen,
und benützte nur die angenehmen Abende, um sich in
der Stadt, oder außer derselben zu zerstreuen. Ein
Glück war es jedenfalls für Beheim, daß die allgemeine Stimmung in Wien für Albrecht nicht mehr
eine so günstige war, wie früher, und daß, je mehr

die Herzoglichen in ihrem Ansehen zurückgedrängt wurden, die Kaiserer desto mehr hervortraten. Wie konnte
es auch anders sein? Die widerrechtlichen Bedrückungen und die eigenmächtigen Verfügungen Albrechts mußten überall Abscheu, und in manchen
Städten, wie z. B. Steier, sogar offenen Widerstand hervorrufen; demgemäß begann auch in Wien
der Widerwille rege zu werden; man mied die Albrechter, und wahrte sich vor jeder Gemeinschaft mit
ihnen; dadurch konnten die Anhänger Friedrichs nur
um so günstiger hervortreten und ihre volle Würde
behaupten. Es versteht sich von selbst, daß dies Alles im Verborgenen und Geheimen begonnen, und
dann erst immer deutlicher an das Licht hervortrat.

Wie gefährlich der Standpunkt unseres Sängers
in Wien war, sollte er bald erfahren.

Es war an einem Abende, als ihn sein Weg
über den hohen Markt führte. Er war in Gedanken vertieft, und erwog eben die letzten Vorfälle
und mannigfachen Verräthereien, welche das Spiel
geleitet hatten. Vor der Schranne saßen einige Albrechter.

Einer von ihnen, Peter Harnischmeister
war sein Name, trat auf den Sänger zu und sprach:
„Michel Beheim, Ihr geht öfters hier vorüber, es

ist heute schon zum dritten Male; wir glauben, Ihr
seid verwegen genug, dies uns zum Trotz zu thun?"

„Welch sonderbare Zumuthung!" rief der Dichter verwundert, „solches Handeln ist mir noch nie in
den Sinn gekommen."

„Ich will's glauben, aber ich sage Euch, Michel
Beheim! durch Euer Dichten werdet Ihr noch zu
Schanden kommen; es wird Euch Angst und Noth
bringen, und Euer ganzer Lohn wird vielleicht ein
Dolchstich von Feindeshand sein; drum folgt meinem
Rathe, mäßiget Euch, und laßt das Dichten."

Beheim, über diese Anrede in Staunen gesetzt,
entgegnete: „Wer könnte der Bösewicht sein, der mir
nach dem Leben zu trachten gewissenlos genug wäre?
Nur ein Verräther, ein Mörder, ein Uebelthäter —"

Der Andere unterbrach den Sänger und sagte
in bedenklicher Betonung: „Wer weiß, vielleicht ist
es gerade ein Ehrenmann!"

„Fürwahr, das ist er nicht!" rief Beheim empört, „er ist ein Bösewicht, ein Mörder. Und wären
Eurer Tausende, ich halte Einen, wie den Andern,
mir seid Ihr Alle gleich; glaubt mir's, es ist kein
Ehrenmann unter Euch! Ihr habt Eurem gerechten
Herrn nachgestellt, ihm nach dem Leben getrachtet,
dies thun nur Schälke und Mörder; aber Euer Unternehmen ist mißlungen; der gütige Himmel wollte

solche Schmach nicht geschehen lassen, und hat den
Kaiser wunderbar beschützt."

Bei diesen Worten erhob sich ein Zweiter der
Herzoglichen, kam stolzen Ganges auf die Beiden zu-
geschritten, und rief dem Gegner Beheims zu: „Peter
Harnischmeister!"

„Was willst Du, Walmann?"

„Sag' mir doch, was bindest Du mit dem
Sänger an? Was er auch immer von uns singen
und dichten mag, was schadet es uns? Was kümmert uns sein Gesang? Man weiß ja recht gut, wer
er ist, und wo — er deutete dabei auf die Stirn —
es bei ihm fehlt."

Der Poet entbrannte in Zorn und entgegnete:
„Elender, Nichtswürdiger! ja, ja, Ihr habt Recht,
man weiß, wer ich bin; denn ich hab' weit und breit
die Welt durchstreift, und bin von Herren und Fürsten mit Achtung und Auszeichnung empfangen worden, und überall, wo ich gewesen, dahin darf ich,
weiß Gott! wiederkehren; nur in Wien stellt man
mir nach, nur in Wien sprießt mir kein Heil. Euch
kümmert es wenig, was ich von Euch sing' und
dichte, ich glaub' es gern, denn wer auf Ehr' und
Würde nicht hält, den kümmert auch sein Ruf nicht
viel, und man weiß es ja, kömmt die Ehre eines
schwachen Weibes vor der Welt nur erst einmal, zum

Falle, so achtet sie später auf nichts mehr, was man auch immer von ihr sprechen möge. Ihr droht mir, daß ich vor Euch nicht sicher bin? O, ich werde mich Euch gegenüber schon zu erhalten wissen und Wien nicht verlassen, was Ihr auch immer unternehmen möget, mich von hier zu treiben!"

Die Herzoglichen warfen ihm zornfunkelnde Blicke zu, und Beheim setzte seinen Weg wieder fort.

Daß Beheim den Grafen Haug von Werdenberg alsogleich von diesem Vorfall in Kenntniß setzte, versteht sich von selbst; auch dem Kaiser wurde es berichtet, und Friedrich ließ ihm tröstende Worte sagen und rathen: sich ja nicht an abgelegene Orte zu begeben; der Graf Haug setzte auch noch hinzu: „Wollte Gott, die falschen Schälke thäten Euch nur Etwas an, es sollte ihr Leben kosten!"

Beheim entgegnete höchst verwundert: „Mein Himmel! was nützt mir ihr Tod, wenn auch ich nicht mehr am Leben bin? Eine Wunde, ins Holzers Namen! wenn's schon sein muß, so laß ich mir sie gefallen, doch um der Schälke willen zu sterben, das, glaube ich, würde mir wenig frommen!"

Der Graf selbst mußte über die Rede lachen, und vertröstete den Dichter auf's Beste.

An einem Abende befand sich Beheim allein in

seinem Kämmerchen, da wurde leise an der Thüre geklopft, und Herrmann Preifing trat ein.

Der Dichter hieß den jungen Mann an seiner Seite niederfetzen und begann: „Was bringt Euch heute noch so spät zu mir, Freund Preifing? Habt Ihr vielleicht vergebens auf Euer Liebchen gewartet, und wollt Euer Mißvergnügen darüber bei mir los werden?"

Preifing entgegnete lächelnd: „Meine Dorothe läßt nicht vergebens auf sich warten!"

„Wenn aber Jakob Mainhart —"

„O, der ist seit Holzers Tode ein ganz Anderer geworden. Wie ich Euch erzählt, war es sein Werk, daß die Verschwörung des Bürgermeisters entdeckt wurde; er war dem Holzer todtfeind geworden, und wünschte dessen Fall. Aber ein solch blutiges Ende mochte er doch nicht erwartet haben, denn seit jenem Tage hat sich des rohen, gewaltigen Mannes eine Schwermuth bemächtiget, die ihn immer zu Hause festhält. Er flieht alle Gemeinschaft mit den Bürgern, und sucht, wie noch nie, die Gesellschaft der Seinen. Von dem Herzoge mag er schon gar nichts mehr hören, und er verwünscht jetzt oft genug seine Thätigkeit für denselben. Daß ich unter diesen Umständen der endlichen Erfüllung meiner Wünsche näher als je bin, könnt Ihr leicht ermessen, und ich be-

r

daure nur, daß mein Glück aus so blutigem Boden
sprießen mußte."

„Es ist gewöhnlich das Loos der Menschen, daß
dem Einen aus dem Grabe des Andern der ernäh-
rende Halm emporkeimt, daß, während der Eine an
diesem Ende der Schaukel sinkt, sich der Zweite an
dem andern Ende emporhebt. Und so wie bei Einzelnen, ist es auch bei ganzen Völkern der Fall; aus
blutgedüngten Schlachtfeldern sind oft schon die herr-
lichsten Friedensblumen aufgewuchert."

„Ihr habt Recht, Herr Beheim, der Weltlauf ist
einmal so; doch vermag deshalb der gefühlvolle
Mensch über die Art und Weise, wie er sein Glück
errungen, doch nicht gleichgültig zu bleiben. Genug
hiervon, erfahrt nun den Grund meines späten Besuches."

„Ich bin begierig, zu vernehmen, was Euch hierher geführt."

„Euer Wohl!"

„Mein Wohl?"

„Ja, Herr Beheim, Euer Wohl und Eure persönliche Sicherheit."

„Daß diese in Wien bedroht sind, ist mir ja
nicht mehr unbekannt."

„Aber in welchem Maße, dies dürfte Euch doch
noch ein Geheimniß sein. So vernehmt denn: der

Buch v. den Wienern. III.   16

neuerwählte Hubmeister Valentin Liebhart hat im Rathe darauf angetragen, auf Euren Kopf einen Preis zu setzen."

Beheim erschrak im ersten Augenblicke, dann aber, sich fassend, fragte er: „Nun, und der Rath?"

„Ist darauf eingegangen."

„Und der Preis?"

„Sind 400 Dukaten!"

Der Sänger athmete etwas beengt auf und antwortete, jedoch nicht ohne einen Anflug von Laune: „Wahrhaftig! ich bin den Wienern sehr theuer! Wer hätt' es glauben sollen, daß mein armer Kopf bei ihnen noch so hoch im Werthe steht?"

„Ihr könnt noch scherzen?" fragte Preising.

„Soll ich klagen darüber? Was nützt es auch, wenn ich es thäte? Doch nehmt meinen Dank für die Sorgfalt, ich werde sie benutzen, und mich nie ohne sichere Begleitung außer dem Hause sehen lassen. Einem Ueberfall in meiner Wohnung werde ich vorzubeugen suchen, indem ich mich mit Waffen versehe, doch glaube ich, soll's so weit nicht kommen."

„Ihr werdet doch nicht —"

„Wien verlassen? Bewahre! dies kam mir nicht in den Sinn; ich glaube nur, daß meine Feinde doch eben auch die gehörige Vorsicht für sich selbst nicht außer Auge lassen werden; denn sie kennen

mich zu gut, um nicht zu wissen, daß ich geschickt
genug bin, das Schwert zu führen, und auch hinlänglich Muth besitze, mich ihnen entgegen zu stellen.
Doch nun, lieber Preising, gehabt Euch wohl! Ich
will's heute mit meiner Geliebten versuchen, vielleicht
schenkt sie mir jetzt ein freundlich Stündchen; Ihr
wißt, die Muse ist ein launisches Weib, und thut oft
spröde, wenn man sie herabbeschwört, und oftmals
wieder kömmt sie ungerufen, und bietet freiwillig Kuß
und Umarmung. Lebt wohl und besucht mich oft in
meiner Einsamkeit."

Der junge Mann verließ den Dichter.

Beheim blieb allein.

Er breitete die Blätter des „Buches von den
Wienern" vor sich aus, und sah sie lange an,
dann sprach er wehmüthig: „Was bin ich für ein
Thor, daß ich mit meinem Dichten mir selbst so viel
Sorge, so viel Bangniß schaffe? Seit ich dieses Buch
schreibe, hat die Unruhe mich zu quälen nicht aufge-
hört, hat Gefahr mich noch immer tückisch umlauert.
Warum mir also selbst das Leben verbittern? Warum
nicht den Wermuthstropfen, der dies thut, aus dem
Kelche schleudern? Ja, ich will's — ich will mich um
ihr Thun nicht ferner kümmern, will von diesem Treiben weder dichten, noch singen, ich will mein Wie-

16*

nerbuch vernichten — Vernichten? Dieses Buch?
Dieses Buch der Wahrheit?"

Er hielt inne, und fuhr dann rasch fort: „Nein,
nein, davor möge mich der Himmel bewahren! Solche
Verrätherei zu verschweigen, solche Dinge den Kin-
deskindern nicht zur Warnung, zur Belehrung zu
überliefern, dies wäre ein Vergehen — drum fort mit
den Gedanken der Schwäche, das Buch von den
Wienern bleibe, und werde erhalten. Ich habe es
begonnen in den größten Wirren, habe es fortgesetzt
während der Drangsale einer sechswöchentlichen Belagerung, und will selbst jetzt in Todesgefahr, von
Mördern bedroht, zu schreiben nicht ermüden. Komm
her, du mein theures Kind, mein liebes Wienerbuch! Was mir deinethalben auch immer werden
möge, ich werde dich doch nicht vertilgen, du bist eines jener Schmerzenskinder, die ihren Eltern ohne
Wollen und Verschulden nur Kummer und Sorge
bereiten, aber ihnen deshalb doch immer lieb und
theuer bleiben. Komm her mein Buch, ich habe
dich begonnen mit Lust und Liebe, ich will dich auch
so vollenden. Du hast mich manche Lebensstunde
gekostet, hast manche schlaflose Nacht herbeigeführt,
hast mich aber auch erfreut durch dein Gedeihen, und
nun — dem Ende nahe, sollte ich dich vernichten?
Nein, nein, es kann, es darf nicht stattfinden! Ich

will singen, wie bisher, was hier geschehen, ich
will erzählen die Wahrheit und will künden die
Verrätherei. Und bänden tausend Eide mich, das
Wienerbuch nicht zu vollenden, ich müßte sie brechen, ich könnte dem Drange des Herzens nicht widerstehen. Drum drauf und dran — herbei mein
Lied — die Muse neigt sich lächelnd zu mir nieder,
ich fühle mein Blut wallen, meine Stirn wird heiß,
wie Harfenklang durchzittert es meine Seele, mir ist
so wohl, mir jubelt es durch das Herz, mein Himmel! — wo ist die Erde — wo die Welt — die
Bilder ziehen wie in einem klaren Wellenspiegel an
mir vorüber — mich drängt es zu singen, ich fühle
den Kuß, den warmen, heißen Götterkuß der Muse,
— ich bin dein — ganz dein!"

Das Buch von den Wienern wurde fortgesetzt.

Zehntes Capitel.

Und wieder verſetzen wir uns, wenn auch nur auf wenige Stunden, nach Schloß Eichbüchl.

Seitdem jene löſende Kataſtrophe dort ſtattgefunden, herrſchte unter den Bewohnern eine freundliche Stille.

Puxelli von Ellerbach, durch langjährige Kerkerleiden herabgebracht, bedurfte der liebevollen Pflege ſeiner Tochter Johanna, um wieder zu Kraft und Geſundheit zu gelangen. Die verwittwete Freiin theilte ihre Zeit zwiſchen Johanna und Amelei, welche Letztere an eine Rückkehr nach Urſchendorf nicht mehr zu denken ſchien.

So ungern nun der greiſe Kling ſein Kind zu Hauſe vermißte, ſo war er doch weit entfernt, vor der Hand gegen ihren Aufenthalt bei Juliane etwas einzuwenden, denn die Jungfrau hatte ſich auf Eichbüchl vollkommen erholt, und blühte wieder ſo lieblich und reizend, wie ehedem. Heinrich Blum-

taler war zwar einige Male auf Eichbüchl zu Besuche eingetroffen, allein es geschah immer zu solcher
Zeit und auf solche Weise, daß der Vater Amelei's
noch immer weit davon entfernt war, das Herzens-
einverständniß der jungen Leute zu ahnen; er ließ daher Amelei ganz ruhig auf dem Schlosse, weil er
froh war, sein Kind nur wieder genesen zu sehen,
und trabte, so oft ihn die Sehnsucht nach Amelei
übermannte, gen Eichbüchl zu, um dort einige Tage
zu verweilen.

Düster und abgeschlossen hatte sich die blinde
Katharina seit längerer Zeit aus den heitern, häus-
lichen Kreisen zurückgezogen. Das Wiederfinden Johanna's war der letzte frohe Moment; denn da sie
sich die Schuld von Bertholds Missethat beimaß, so
sank ihr eine schwere Last vom Herzen, als die Jungfrau wieder frei war, und noch dazu in den Armen
ihres Vaters lag. So sehr sich aber Johanna auch
bestrebte, das Verhältniß zwischen ihr und der Blinden wieder auf jene Stufe zu bringen, wie es ehedem der Fall gewesen, so mißlang doch jeder Ver-
such hierzu, denn Katharina zog sich fast abwehrend
zurück, indem sie zur Jungfrau sprach: „Laß mich
gewähren, Johanna! Ich weiß, daß Du mir gut bist,
allein jene Tage, wo ich Dich mein Kind nennen
durfte, sind verrauscht, Du hast einen Vater gefunden,

dem Du die höchste Aufopferung und Liebe zuwenden mußt, ich aber bin nur eine Fremde, die sich jetzt zwischen Vater und Kind nicht drängen darf."

Johanna senkte dann gewöhnlich nach solcher Rede traurig das Köpfchen, und schlich zu ihrem Vater, um über Mutter Katharina's Eigensinn zu klagen. Nach und nach gewöhnte auch sie sich an die immer zunehmende Düsterkeit der Blinden, und ertrug es am Ende ebenso wie die Andern, wenn jene sich oft Tage lang beim Mahle, oder den andern Zusammenkünften nicht sehen ließ.

Unter solchen Verhältnissen verstrichen Monate. Die Unruhen und Wirren der Außenwelt nahmen die Aufmerksamkeit der Bewohner Eichbüchls nur insofern in Anspruch, als sie mit den Hoffnungen und Wünschen derselben in Verbindung standen. Alle wünschten dem Kriege ein Ende, und die Versöhnung der fürstlichen Brüder; Pupelli wollte dann wieder hervortreten und sein Recht auf die Ländereien und Güter der Ellerbach geltend machen; Juliane gedachte sich unter den Schutz des Kaisers zu stellen, um ihre Ehre vor dem Herzoge zu sichern, und Amelei hoffte auf endliche Verbindung mit dem Geliebten ihrer Seele; nur Johanna, unschuldig, ohne Leidenschaft, ohne Ansprüche, wandelte wie in reiner Unwissenheit und Unbesorgtheit zwischen ihren Verwandten und

Freundinnen, und ahnte kaum, daß es außer jenen
Freuden, die ihr jetzt zu Theil wurden, noch eine
Menge Wonnen und Seligkeiten gebe, welche das
Leben erst zum Leben stempeln, und das Erdensein in
einen Edensaufenthalt umzuwandeln im Stande sind.
Für sie gab es nur eine Freude, diese bestand in ihrem jetzigen Leben; für sie gab es nur einen Schmerz,
wenn sie sich manchmal an Bruder Simon erinnerte.
Freilich kamen oft auch Augenblicke, in welchen sie
sich an die, wie eine zweite Heimath ihr theuer
gewordene Hütte außer Wien erinnerte, und manchmal schwebte ihr auch das Bild des Jünglings vor,
welcher an jenem Abende als Gast eingekehrt war,
und der auf so sonderbare Weise wieder entfernt
wurde; aber diese Erinnerungen waren nur leise Däm-
merstrahlen, die, von unbestimmten Gefühlen begleitet,
in ihrem Herzen nur einen Hauch von Sehnsucht nach
einem unbekannten Etwas zurückließen, welche, da sie
sich dieselbe weder zu deuten noch zu erklären wußte,
so wie eine Kohle immer mehr verdunkelte, und am
Ende wie ein halbvergessener Traum, dessen Gestalten uns ohne Bild und Form vorschweben, in der
Seele fortlebte.

So standen die Verhältnisse, als an einem Abende
die Blinde in die große Halle trat, welche die Schloß-
bewohner stets zu versammeln pflegte.

Ihr Erscheinen war unerwartet, und erregte be=
sonders bei den Frauen die lebhafteste Theilnahme.

Johanna war, gleich aufgesprungen, eilte ihr
entgegen, und leitete sie liebevoll, wie ehedem, an ih=
ren eigenen Sitz, während sie sich an Amelei's Seite
niederließ.

Das bleiche Antlitz der Blinden war ernst, die
schwarze, um die Augen gelagerte Binde stach grell
dagegen ab.

„Ihr habt unsere Gesellschaft schon lange ge=
mieden," ergriff die Freifrau die Rede, „ich will Euch
hiermit keinen Vorwurf machen, sondern Euch nur zu
erkennen geben, daß wir Euch vermissen, schmerzlich
vermissen."

„Der aufrichtige Ton Eurer Worte rührt mich,"
entgegnete Katharina, „denn ich erkenne an demsel=
ben, daß es nicht blos Worte sind. Frau Juliane,
womit hab' ich diese Theilnahme verdient, woburch
soll ich meine Dankbarkeit an den Tag legen?"

„Warum meidet Ihr unsere Gesellschaft so hart=
näckig?" fragte Pupelli, „meint Ihr, die Einsamkeit
sei Eurer Gemüthsstimmung zuträglich?"

„Was ich thue, geschieht Euretwegen."

„Unsertwegen?"

„Ja, weil ich den Glanz Eurer Freuden durch
meine Gegenwart nicht wie durch einen düstern Re=

bel verschleiern will, weil ich dem Kiesel gleiche, den ein muthwilliger Knabe in den klaren Bach wirft, um sein Wasser zu trüben —"

„Welch ein Wahn!"

„Es ist kein Wahn, Juliane! ich fühle, daß ich die Wahrheit spreche; doch es soll anders werden."

Alle sahen sie staunend an.

„Was habt Ihr vor?" fragte Juliane.

Katharina erwiederte: „Ich habe für meine Zukunft einen Entschluß gefaßt."

„Einen Entschluß? Und welches ist dieser?"

„Ihr sollt ihn später erfahren."

Sie zog Pupelli an sich und lispelte ihm einige Worte ins Ohr. Dieser gab ihr eine eben so kurze Antwort.

Das Gespräch nahm hierauf eine gleichgültige Wendung, und endigte nach einer Weile damit, daß Amelei und Johanna unter einem gleichgültigen Vorwande entfernt wurden, die übrigen drei sich aber in eins der kleineren Nebengemächer zurückzogen.

Pupelli und Juliane waren begierig, Katharina's gefaßten Entschluß zu vernehmen, und diese begann: „Ich habe Euch, Frau Juliane, einen Theil meiner traurigen, leider nicht unverschuldeten Erlebnisse mitgetheilt; Ihr habt mir damals in Wien einen Rath ertheilt, der vor Allem Johanna's Wieder-

finden und dann eine Versöhnung mit meinem noch
lebenden Bruder bezwecken sollte. Das Erstere ist
geschehen, und zu dem Letzteren will ich nun schreiten.
Ich vermag es nicht länger in dieser peinigenden
Ungewißheit auszuharren, namenlose Unruhe durch-
wühlt meine Brust, die Qualen früherer Schuld
pressen schwerer als je mein Gemüth. Ich werde
nächstens dieses Schloß verlassen, und mich nach
Wien begeben."

„Nach Wien?" fragten die Anderen.

„Ich will zum Herzog; er besitzt die Macht, mich
zu beruhigen, und mit den Meinen auszusöhnen, er
muß es thun!" .

Pupelli von Ellerbach, welcher überhaupt von
Katharinens Schicksalen nur oberflächlich unterrichtet
war, fand in diesem Vornehmen nichts Ungewöhn-
liches; allein Juliane, welche seit jener Scene bei
dem Herzoge zwischen diesem und Katharina auf
eine gewisse geheime Beziehung schließen mußte, und
die Wahrheit auch zu durchschauen glaubte, hatte
mehr Ursache über diesen Entschluß in Verwunderung
zu gerathen.

„Ihr wollt zum Herzoge?" fragte sie noch einmal, da ihr das Gehörte so unwahrscheinlich schien.

„Es ist mein unumstößlicher Vorsatz!"

„Habt Ihr Alles auch wohl überlegt?"

„Es ist die Frucht mehrwöchentlichen Sinnens und Erwägens."

„Hört mich an, Katharina!" sprach Juliane ernst; „ich bin weit davon entfernt, mich in Eure Geheimnisse eindrängen zu wollen, aber so viel Ihr mir selbst von Euren Erlebnissen mitzutheilen für gut fandet, so viel ich als Zeuge gewisser Vorfälle zu beurtheilen im Stande bin, glaube ich mit Recht urtheilen zu dürfen, daß Euer Entschluß wohl verharschte Wunden aufwühlen, aber keineswegs zu dem ersehnten Ziele führen dürfte."

Die Blinde sann einige Augenblicke nach und erwiederte dann: „Ihr mögt Recht haben, Juliane; aber ich kann dem Einflusse meines Herzens nicht widerstehen, es treibt mich dahin, und ich muß gehorchen; entstehe daraus, was da wolle, ich gehe nach Wien zum Herzoge."

Die Blinde beharrte eigensinnig auf ihrem einmal gefaßten Entschluß, und die Freiin gab sich daher keine weitere Mühe sie von demselben abzuwenden.

Als Begleiter erbat sie sich nur einige getreue Knechte, um sie auf den unsicheren Straßen zu schützen, und eine der anwesenden Dienerinnen, um ein weibliches Wesen in ihrer Nähe zu haben.

Ihr Wohnort in Wien, so wurde ferner beschlossen, sollte das Haus der Ellerbach auf dem

Fleischgraben sein, welches indessen durch einen alten Diener bewohnt war.

Evchen Weiz war nicht wenig erfreut, als sie dazu ausersehen war, die blinde Katharina nach Wien zu begleiten, und bald darauf wurde die Reise nach der Reichsstadt angetreten. — — — — —

— — — — — — Im Hause des neuen Hub= meisters Liebhart befanden sich mehrere beim Rathe betheiligte Bürger.

Der Hubmeister hatte sie zu sich entbieten lassen, darunter einige von jenen, die der Holzer am Abend vor der Entdeckung seines Anschlages in seinem Hause festgenommen hatte, und die dann natürlich freigelassen wurden. Es waren also anwesend: der Jörg Krempel, Jakob Storch, Haug, der Kirch= heimer und noch Mehrere dieses Anhanges.

Der Hausherr machte schon im Voraus eine wichtige Miene, wodurch die Andern, auf das zu Kommende begierig, seiner Anrede mit Spannung entgegen sahen. Endlich begann er: „Ihr werdet vielleicht die Ursache, warum ich Euch hierher be= schieden habe, wenn Ihr sie vernommen, für eine unwichtige halten; aber obwohl ich schon oft gegen diesen Gegenstand aufgetreten bin, so kann ich doch nie unterlassen, auf denselben von Neuem zurück zu

kommen. Ich meine: Beheims Buch von den
Wienern."

Der anwesende Kirchheimer begann zu lächeln
und sprach in seiner gewöhnlichen hochmüthigen Weise:
„Ihr, Herr Hubmeister, scheint die Stelle jenes Rö-
mers vertreten zu wollen, dessen Enbrede im Senate
immer dahin lautete: Ego autem censeo Carthaginem
esse delendam; bei Euch ist Beheims Buch ein
zweites Carthago!"

Es waren kaum ein Paar, welche den Vers
verstanden hatten; diese lächelten, allein die Andern,
und besonders Liebhart, waren wenig erbaut darüber, und Letzterer entgegnete etwas erbost: „Für
diese Standhaftigkeit solltet Ihr, Herr Kirchheimer,
mir besonders verpflichtet sein!"

„Ich? Warum denn ich?"

„Weil Ihr in dem Buche besonders hart mit-
genommen sein sollt. Ein schon vor mehreren Monaten ausgetretener Diener des Bänkelsängers hat
einige Verse erlauscht und verbreitet; denselben nach
zu schließen, seid Ihr in dem Buche arg bedacht.
Ich will jene Verse zum Besten geben:

> Hans Kirchheimer
> Eines Binders Sohn aus Schwaben her,
> Ein grober, hochfährtiger Gaul,
> Viel bös' Gespei ging aus sein Maul

Er war ein Sklav viel Feiger
Des von Wirtemberg eiger

*

Und ein Arzt, der jeglichem Mann
Tief in den H — — greifen kann;
Auch einem Kalb oder einer Kuh,
Wann er hätt' lange Finger darzu!"

Der stolze Kirchheimer wurde glühend roth.

Nur mit Mühe konnten sich die Anderen eines lauten Gelächters enthalten; nur die Furcht, den Betreffenden in Wuth zu versetzen, hielt sie davon zurück.

Auch Liebhart beschönigte seine uneble Rache, indem er fortfuhr: „Nicht um Euch zu beleidigen, Herr Kirchheimer, — wir sind ja hier unter Freunden, — habe ich dieser Verse erwähnt, sondern es geschah nur, um darauf hinzudeuten, von welchem Hasse gegen alle Herzoglichen dieses Buch durchglüht ist."

„Der Rath hat doch einen hohen Preis auf seinen Kopf gesetzt!" rief Jörg Krempel.

„Es hat aber nichts gefruchtet!" lautete die Antwort, „der Schalk hält sich verborgen, und verläßt selten das Haus; mittlerweile, wenn wir noch lange zögern, wird das Schandbuch vollendet und in kaiserlichem Gewahrsam sein."

„Es läßt sich nicht läugnen," ergriff Jakob Storch die Rede, „daß aus diesem Buche nicht nur dem Einzelnen, sondern der ganzen Wienerstadt große

Unehre erfprießen dürfte; Beheims Haß gegen die
Albrechter ist eben fo bekannt, als seine böse, spitzige
Zunge; was läßt sich also für uns Alle von ihm
Anderes erwarten, als Spott, Schimpf und Schande?
Und ob nun verdient oder unverdient, es kann keinem
Menschen gleichgültig sein, was man im Lande von
ihm spricht; denn wie lange wird es dauern, und
die Lautenisten werden im ganzen deutschen Reiche
Strophen aus dem Wienerbuche singen, und man
wird auf uns und unsere Stadt mit Fingern weisen,
und unsere Nachkommen werden sich am Ende ihrer
Väter schämen müssen."

„Wahr, wahr!" sprach Hanns Haug; „Herr
Hubmeister, Ihr thut klug daran, die Sache immer
von Neuem anzuregen, denn mit dem Dukatenpreise
kommen wir nicht zum Ziele, der Schalk ist zu klug,
und wahrt seine Haut; wir müssen ein anderes Mittel
erfinnen."

„Dieser Meinung bin ich auch — "

„Aber welches?"

„Darum, Ihr Herren, beschied ich Euch hierher,
um darüber zu rathschlagen."

„Ihn am Schreiben zu verhindern — "

„Das geht nicht leicht."

„Der Lump kritzelt die Verse mit den Nägeln an
die Wand. Ihr müßt dies Sängergelichter nur ken-

Buch v. den Wienern. III.   17

.ßen: bindet Einem die Hände, er schreibt mit den
Füßen; haut ihm die Beine ab, er schreibt mit der
Nase im Sand, oder leckt die Buchstaben mit der
warmen Zunge aus eisiger Schneefläche heraus."

„Ja, ja, es sind arge Gesellen, die Poeten!"

„Was bleibt uns also übrig?"

„Jetzt fällt mir ein Gedanke bei."

„Laßt hören, Herr Liebhart."

„Wir greifen zur List."

„Der Gedanke ist so übel nicht."

„Aber wie das?"

„Ihr sollt es gleich hören. Das Wienerbuch,
so hab' ich von dem Diener, welchen der Sänger
entließ, vernommen, ist auf einzelne Bogen geschrieben,
welche sich in einer blechernen Kapsel befinden; so
oft nun der Dichter einen Bogen vollgesudelt, rollt
er ihn zu den andern in das erwähnte Blech. Wenn
wir nun trachteten, uns desselben zu bemächtigen —"

„Aber wie dies bewerkstelligen?"

„Wir lassen ihm die Kapsel entwenden."

„Aber durch wen?"

„Darüber habe ich bereits nachgedacht, und ich
will Euch meine Meinung mittheilen."

Der Hubmeister entwickelte nun seine Gedanken,
die von einem ganz einfachen Erfindungsgeist zeugten,
die aber den Bürgern nichtsdestoweniger willkommen

waren, weil sie rasch zum Ziele führten, und wenig
Unkosten verursachten. — — — — —

Beheim, obwohl nicht ahnend, welche neuen
Schlingen ihn bedrohten, ermangelte doch nicht, die
größte Vorsicht zu beobachten, denn Herrmann Preising setzte ihn von der feindlichen Stimmung der
Wiener in Kenntniß und hielt die Aufmerksamkeit
des Sängers immer wach, damit er von keinem bos-
haften Anschlag überrascht werde.

An einem Nachmittage befand sich Beheim allein;
er saß am offenen Fenster und sah in den kleinen
Hof hinaus, in dessen Mitte der Brunnen, von zwei
Akazienbäumen beschattet, sich befand. Nach einer
Weile trat ein Mädchen in den Hof. Ohne den
Dichter zu beachten, nahm sie die an einem Bande
um die Schulter hängende Laute, und begann mit
wohlklingender Stimme ein Liedchen zu singen.

„Ei sieh da," dachte Beheim und lächelte dabei,
„eine Kunstgenossin!"

Er betrachtete die Sängerin genauer, und fand
eine schöne auffallende Gestalt, ein reizendes Gesicht-
chen, mit einem sanften, wehmüthigen Blicke. Ihr
einfaches, reinliches Aeußere nahm im ersten Augenblicke für sie ein.

„Ein bitteres Loos," dachte der Sänger, „so
von Haus zu Haus zu ziehen, und sich das Bischen

17*

Leben zu erſingen; aber das Gewerbe nährt seinen Mann, oder auch seine Frau; an dem Aeußeren des Mädchens iſt weder Mangel noch Kummer zu erkennen."

Die Sängerin hatte ihr Liedchen geendet und blickte nach den Fenſtern auf, um die milde Spende für ihren Sang in Empfang zu nehmen, aber Beheim war der einzige Zuhörer geweſen. Sie ſchritt auf das Fenſter zu.

„Euer Liedchen gefiel mir, ſchönes Kind!" nahm der Dichter das Wort.

„Wirklich?" fragte die Sängerin freudigen Tones, „oder ſoll ich Euch etwa für die Schmeichelei Dank ſagen?"

„Es iſt mein Ernſt; Ihr habt es recht lieblich geſungen. Eure Sprache däucht mir aber eine fremdländiſche zu ſein."

„Ich bin aus Schwaben, Herr!"

„Aus Schwaben? Wie heißt Euer Geburtsort?"

„Weinsberg."

„Weinsberg!" rief der Dichter, „mein liebes, liebes Weinsberg! O mein Himmel! welche Erinnerungen weckt dieſer Name in meiner Seele; Ihr müßt wiſſen, daß wir auf dieſe Weiſe Landeskinder ſind. Ich bin aus Sulzbach, unter Weinsberg."

Die Sängerin lächelte und entgegnete: „Sulz-

bach, ich kenn' es auch, bin einst als kleines Mädchen dort gewesen, aber das ist schon lange, lange
her."

Beheim lachte hell auf und rief: „O, wie Ihr
nur groß thut mit Eurem Bischen Lebensalter, und
könnt doch im Ganzen kaum ein achtzehn Jährlein
zählen."

„So was, Herr!"

„Doch wir plaudern hier fast so gut wie auf
der Straße, und das verbietet die Sitte; ist's Euch
nicht genehm, bei mir einzutreten?"

„Verbietet das die Sitte nicht?" fragte die
Sängerin schelmisch.

„Wir sind ja Landeskinder, und wer weiß, ob
es sich am Ende nicht gar herausstellt, daß wir auch
blutsverwandt."

Die Sängerin lachte hell auf und trat in die
kleine Wohnung des Dichters.

Ihr schönes Auge durchflog das Kämmerchen,
darauf sprach sie in ihrer reizenden Weise: „Wahrhaftig Ihr wohnt hübsch; zwar einfach und prunklos,
aber so traulich, so heimlich, daß man Euch fast be-
neiden möchte. Ach, uns Armen, die wir von Haus
zu Haus, von Straße zu Straße, von Land zu Land
ziehen müssen, uns ist die Wohlthat eines beständi-
gen Aufenthaltes versagt; wir ahnen seine Annehmlich-

keiten wohl, aber sie werden uns nicht zu Theil; wir können nirgends weilen, sondern müssen immer unstet weiter ziehen, so wie Heerden auf ein anderes Feld getrieben werden, wenn sie das eine abgegraset und kahlgefressen."

Der Dichter hatte das Mädchen nicht aus den Augen gelassen. „Wie Ihr so klug sprecht," nahm er jetzt die Rede, „ich lausche Eurem Worte so gern, wie Eurem Sange. Doch wollt Ihr mir nicht Euren Namen nennen?"

„Ich heiße H e l e n e."

„H e l e n e? Und die Familie?"

„W a l d e n."

„Ich bin schon zu lange von der Heimath entfernt," entgegnete der Dichter, „als daß ich mich dieses Namens entsinnen sollte, aber wie seid Ihr hierher gekommen?"

„Die Armuth meiner Eltern zwang mich und meinen Bruder aus dem Vaterhause."

„Wie, Ihr habt einen Bruder?"

„Freilich, er ist ja mein Schützer, mein Begleiter; aber heute blieb er im Schanke, wo wir wohnen; denn die Fußwanderung hierher zog ihm ein bös Gebreste zu. — Doch —"

Helene hielt inne und blickte verlegen und mit forschenden Blicken umher.

Beheim bemerkte dies und fragte: „Was wünscht Ihr, schöne Landsmännin?"

„Ach, mein Herr, vergebt — aber ich kann nicht mehr, ich muß Euch schon zur Last fallen — das Singen — die Gluth des Nachmittags — reicht mir doch den Becher und erlaubt —"

„Wozu diese Verlegenheit?" rief der Dichter und nahm hastig das Gefäß; Helene wollte sich dessen bemächtigen, allein der Sänger ließ dies nicht geschehen und entgegnete: „Seid nicht eigensinnig, ich will Euch zu Dienste stehen."

Damit verließ er eilig die Stube.

Die Sängerin verfolgte ihn mit hastigem Blicke, dann stürzte sie einem Schranke zu, dessen Thüre nur angelehnt war, nahm rasch aus demselben eine blecherne Kapsel — von außen drang das Geräusch herein, welches durch das Pumpen am Brunnen verursacht wurde — Helene schob ihre Beute in eine Seitentasche des weiten Faltenrockes; — als Beheim eintrat, saß sie wieder unbefangen auf ihrem früheren Platze.

„Da nehmt," sprach der Dichter, „es ist ein frischer Trunk, er wird Euch laben."

Die Sängerin ergriff dankend das Gefäß und trank.

Beheim übernahm den leeren Becher, setzte ihn

wieder an die frühere Stelle und fragte: „Wünscht
Ihr vielleicht noch etwas, schöne Landsmännin?"

„Nichts mehr, Herr! Ihr wart so freundlich gegen mich, daß mir wirklich nichts mehr zu wünschen
übrig bleibt."

Sie erhob sich.

„Ihr wollt mich schon verlassen?" sprach der
Dichter fast traurig.

„Der Abend rückt heran, ich muß zu meinem
Bruder; der Arme wird meiner schon mit Sehnsucht
harren."

„O, verweilt noch, nur wenige Augenblicke noch!"
bat der Sänger.

„Nein, nein Herr, ich kann wirklich nicht!"

„Sonderbar!" fuhr Beheim mehr zu sich selbst
als zu seinem schönen Gaste fort, „wie kömmt es
doch, daß man oft an Tausenden von Menschen gleichgültig vorübergeht, ja sogar mit ihnen verkehrt, und
dennoch nie ein Verlangen fühlt, mit ihnen näher
bekannt und befreundet zu werden, während man
dann plötzlich auf einen Menschen stößt, zu dem man
sich gleich anfangs hingezogen fühlt, den man oft um
sich sehen möchte, dem unser Wohlgefallen im ersten
Augenblicke sich zuneigt?"

Helene warf einen aufmerksamen Blick auf den
Sänger, und dieser fuhr fort: „Ihr habt mich früher

um meines festen Wohnsitzes halber beneidet, und ich muß es Euch offen gestehen, daß ich nie glücklicher war, als damals, da ich, meine Laute am Arme, von Stadt zu Stadt, von Gau zu Gau zog und meine Lieder sang, wie sie mir aus der Seele flossen; Ihr seht mich an? Ja, ja, ich bin auch so was von einem Sänger, mein Name ist Michel Beheim; ich habe auch schon ein Stückchen Erde durchpilgert, und manches Ohr mit meinem Sang erquickt, manchen Sinn gehoben, manches Herz getröstet, und manchen Kummer verscheucht. Aber, Helene, so unzufrieden, wie jetzt, war ich noch nie im Leben. Ich wohne hübsch und heimlich meint Ihr? Verborgen müßt Ihr sagen, denn mich bedroht der Mord um eines Liedes willen, das ich in unbestechlichem Freimuthe dichte; mich bedrohn Fallstricke, die ich nicht kenne, und vor denen nur der Himmel mich bewahren kann."

Helene wurde etwas befangen, jedoch der Dichter bemerkte es nicht und fuhr fort: „Ihr beneidet mich, mich, der ich mein Lied verborgen singen muß, als ob's ein Werk der Lüge wäre; mich, der sein Lied verwahren muß, so wie gestohlen Gut, daß es von dem Eigenthümer nicht erkannt werde; während Ihr frei durch die Welt zieht, und offen, ohne Gefahr und Sorgniß Euren Gesang ertönen lasset."

„Wie könnt Ihr Euch nur mit mir vergleichen wollen?" fragte Helene ergriffen, „Ihr, der Meistersänger, und ich, die Straßensängerin."

„Würdiget Euch nicht selbst herab; nur ein trübes Geschick kann Euch gezwungen haben, Euren Unterhalt auf solche Weise zu erwerben. Ihr seid zu wohl erzogen, Euer ganzes Wesen ist zu edel, als daß aus demselben nicht eine glücklichere Vergangenheit hervorleuchten sollte. Euer Gesang ist so einfach, so erquickend, so zart, daß man Euch bewundern muß."

„Habt Ihr schon viele Lieder gedichtet?"

„Recht viele, mein schönes Kind! Ich begann, ich weiß nicht wie, ich weiß nicht warum? Ein heiliger Augenblick, ein Blitz durchzuckt den Geist, ein süßer Traum, und das erste Lied ist geboren. Man staunt die Züge an, man liest't, man hört der Worte Kläng; ist's Wahrheit? man glaubt es kaum! Nun aber ist das Hemmniß fort, der Born ist geöffnet, nun sprudelt's heraus, fort und fort, Eins gebiert das Andere, Eins jagt das Andere; wie lose Kinder ihren Vater, so umwimmelt uns der geistige Spuk, und noch immer frisch sprudelt die Quelle; Well' auf Welle, Lied auf Lied, und eher, als man es ahnt, hat man einen großen Baum gepflanzt, an dem jeder

Zweig ein Lied, und jedes Blatt ein Gedanke ist.
Und seht, Helene! so viele Lieder ich schon geschrieben
habe, so viel Ehre mir ob manchem von ihnen schon
zu Theil geworden, so ist mir doch von allen keines
so lieb, wie das Buch von den Wienern, welches ich jetzt dichte. Nicht weil es das letzte Kind
meiner Muse, nicht als ob ich es für tadel- und
fehlerlos hielte; ich weiß zu gut, es hat der Mängel
im Ueberfluß; aber weil es Wahrheit ist, weil es
Verräther ins rechte Licht setzt, und weil ich in demselben meinen ganzen Groll gegen Schelme ausge-
sprochen und sie der Verachtung der Welt preisgegeben: deshalb, ja deshalb ist es mir so lieb und
theuer, und blos deshalb würde ich, ehe ich dieses
Lied aufgebe, lieber all mein Hab' und Gut verlieren;
es ist meine Sorge und meine Freude, es ist der
Edelstein meiner jetzigen Lebenstage, es ist die Sonne
die mich erwärmt und beleuchtet, es ist mein einziger,
mein ganzer Schatz, und besäße ich tausend Leben,
ich gäbe sie willig hin für die Erhaltung dieses Buches; dieses Buch verlieren, hieße mich elend machen
auf immer!"

Michel Beheim stand hoch aufgerichtet vor
der Sängerin. Sein Auge glühte in warmer Be-
geisterung, er sprach durchdringend und überzeugend.
Sein Wort wühlte sich wie eine züngelnde Flamme

ins Herz, sein schönes Antlitz glich dem Aehrenfelde, über dem soeben die Sonne aufgeht.

Helene war ergriffen, bestürzt; Todesblässe hatte ihr schönes Gesicht überhaucht, sie zitterte und stand gleich der Sünderin vor dem Richter da.

„Mein Himmel!" stotterte sie, „ich kann nicht — Euch — nein — nein — ich vermag es nicht — es brennt jetzt schon wie Höllenflammen in meiner Seele — da — da — nehmt Euer Lied zurück — ich war gedungen — Euch zu bestehlen — aber eher den Tod — als dies — mein Gott —!"

Die Kapsel fiel auf den Boden, die Sängerin stürzte hinaus.

Beheim sah ihr verwundert und ergriffen nach:

„Welche Täuschung!" rief er klagend aus, „dieses Auge, dieses Wesen, kann ein Antlitz so trügen? — Sie ist fort — mein Himmel! — ich bin wieder allein! — ganz allein?"

Er hob das Gefäß, welches sein Buch barg, vom Boden und rief: „Ich habe dich wieder, mein Lied — nein, nein, ich bin nicht allein!"

Wehmüthige Trauer umhauchte sein Antlitz. —

— — — — — — Herzog Albrecht war wieder in Wien angelangt.

Seine Reise nach Salzburg war vergebens gewesen, die deutschen Fürsten wollten seiner Einla-

bung nicht folgen und ließen sich nicht gegen den
Kaiser werben; der Bischof von Salzburg verließ sogar bei Albrechts Eintreffen die Stadt, und betrat sie
während seiner ganzen Anwesenheit nicht wieder. Der
Herzog trat also seinen Rückweg an.

Ob so vielen Demüthigungen bemächtigte sich
manchmal des Fürsten eine böse Laune; er wurde
mürrisch, unzufrieden mit sich selbst und seiner nächsten Umgebung; dann aber loderte wieder sein Feuergeist in ihm auf, sein Stolz bäumte sich und er
sprach: „Mögen sie es immerhin, ich bin mir selbst
genug, ich bedarf ihrer Bündnisse nicht, ich bin bisher ohne sie gestanden, und werd' es auch noch in
Zukunft vermögen. Herzog Albrecht wird beweisen,
daß er sich selbst genug ist!"

Nach solchen Stunden, deren Mißmuth er auf
diese Weise zu bannen suchte, trat dann gewöhnlich
eine gleichgültige Abspannung gegen alle Regierungs-
sorgen ein, und er suchte für diese Kümmernisse Ent-
schädigung in jenen drei Dingen, von welchen hundert Jahre später ein berühmter Mann zu singen
pflegte, daß, wer sie nicht liebe, ein Narr bleibe sein
Lebelang.

Die Markgräfin von Baden hatte bisher noch
nichts unternehmen können, um ihr der Kaiserin gegebenes Versprechen zu erfüllen; sie wollte eine gün-

ftige Gelegenheit abwarten, um den herzoglichen Bruder in einer glücklichen Stunde zu treffen.

Albrecht befand sich an einem Vormittage in
seinem Gemache.

Ortolf Greimann, sein Vertrauter in allen
Dingen, welche die Oeffentlichkeit nicht ver-
trugen, stand ihm gegenüber. Der Herzog hatte
eben über Juliane Erkundigungen eingezogen. Albrecht war nicht der Mann, einen veralteten Wunsch
zu unterdrücken, er konnte sich besonders in Liebes-
sachen einer eisernen Beharrlichkeit rühmen, und wer
da glaubte, daß er die schöne Freifrau schon gänzlich
aufgegeben habe, der irrte sich in dem Herzoge sehr.

„Also auf Schloß Eichbüchl?“ fragte Albrecht
eben, in Folge erhaltener Auskunft.

„Ja, gnädigster Herr! Seit die Dame Wien
verlassen, hat sie dort unter dem Schutze des greisen
Urschendorfers ihren Wohnort erwählt; auch ist auf
eine höchst sonderbare Weise der todtgeglaubte Bruder
des verstorbenen Edelherrn zum Vorschein gekommen.“

„Wir haben davon erzählen hören,“ sprach Albrecht mißmuthig; „dieser Berthold war verderbter, als
Wir ihn gedacht haben; jedenfalls sind jetzt wieder
neue Hindernisse zu besiegen.“

„Befehlt Ihr, gnädiger Herr! daß in Betreff dieser Angelegenheit Etwas unternommen werden soll?“

„Vor der Hand nicht. Wir müssen Uns früher über den Stand der Dinge genau zu unterrichten suchen, um zu erfahren, in welchem Einvernehmen die Freifrau mit ihrem wieder aufgelebten Schwager stehe; hiernach müssen dann Unsere Maßregeln genommen werden."

Reimbrecht von Ebersdorf trat ins Gemach.

Ortolf entfernte sich.

Der Edelherr beobachtete dem Herzoge gegenüber nicht mehr jene Freundlichkeit wie früher; er war verschlossener, zurückhaltender, sein Blick unstet und düster.

„Was wünscht Ihr, Herr von Ebersdorf?" fragte der Herzog mit Ernst; er bemerkte die Veränderung in dem Wesen des Landherrn nicht, oder wollte sie nicht bemerken.

„Für mich nichts, gnädiger Herr! Ich komme im Namen einer armen Frau, welcher es bisher nicht gelingen konnte, bis zu Euch zu bringen. Sie befindet sich im Vorgemache und harret der Gnade, von Euch angehört zu werden."

Der Herzog warf einen mißtrauischen Blick auf den Edelherrn, und fragte mit schneidender Kälte: „Seit wann ist Reimbrecht von Ebersdorf der Fürsprecher armer Frauen geworden?"

„Seitdem die Gerechtigkeit gesucht werden muß; und da die Arme blind ist, so würde sie dieselbe zu finden nicht im Stande sein."

Der Herzog fuhr auf, der Ebersdorfer aber eilte zur Thüre des Gemaches, ließ Katharina eintreten und entfernte sich.

Albrecht besaß nicht die Kraft, seinem Grimme freien Lauf zu lassen und dem Landherrn zu folgen; auch ließ ihm Katharina keine Zeit, zu einem Entschlusse zu kommen, denn sie rief: „Gerechtigkeit! mein Fürst — ich flehe um Gerechtigkeit." —

Der Herzog antwortete nicht.

Die Blinde wiederholte ihre Bitte.

„Was soll das Gaukelspiel, Katharina?" fragte nun der Herzog hart, „Ihr wißt, wem Ihr gegenüber steht?" —

„Meinem Fürsten!" entgegnete hartnäckig die Blinde, „meinem gnädigen Fürsten, dem Herzoge Albrecht von Oesterreich!"

„Wohlan! was wollt Ihr von dem Herzoge?"

„Gerechtigkeit!"

„Gegen wen?"

„Gegen Albrecht von Mildenberg!"

Der Fürst zuckte zusammen.

„Katharina!" entgegnete er mit dumpfem Tone, „reizt nicht meinen Zorn, sondern sprecht ohne Posſenſpiel. Was Ihr von Albrecht von Milbenberg nur immer forbern könnt, ich will es Euch gewähren; wir ſtehen uns jetzt allein gegenüber, ohne Zeugen, brum rebe offen: was willſt Du von mir, Katharina?"

„Dies iſt der Ton, wie ich ihn mir noch einmal im Leben zu hören gewünſcht, endlich ſtehe ich Milbenberg gegenüber; Albrecht, kannſt Du mich noch fragen, was ich will? Ich will wenig und doch viel — wenig, weil man es ſo leicht zu verlieren im Stande iſt, und viel, weil es ſich ſo ſchwer wiederfinden läßt, ich will — die Ruhe meines Lebens!"

Dieſe Worte waren mit einem ſo würdevollen Ernſte geſprochen, mit einer ſo erfaſſenden Ueberzeugung von der Gerechtigkeit ihrer Bitte, daß der Herzog ſeinen Blick unausgeſetzt auf ihrem Antlitz ruhen ließ, aber mit einer Theilnahme, wie ſie etwa der hochſtrebende, aber nicht gefühlloſe Eroberer empfinden mag, wenn er die Frucht ſeiner einſtigen Siege als Schutthaufen vor ſich liegen ſieht. Nach einigen Augenblicken antwortete er: „Du forderſt Etwas, Katharina, das, Dir zu gewähren, nicht in meiner Macht liegt."

„Du täuſcheſt Dich; es liegt, es muß in Deiner Macht liegen; was ich forbere, haſt Du mir geraubt, Du mußt mir es wiedergeben können. Al-

brecht! nicht um Dich mit Vorwürfen zu überschüt=
ten, hab' ich Dich aufgesucht; wenn Dein Bewußt=
sein ruhig ist, so mag ich es nimmer wecken. Du
weißt, wie Du Dich bei mir eingeschlichen, mich ge=
täuscht, zum Falle gebracht und dann verlassen hast;
sieh, Albrecht, dies Alles ist entsetzlich, aber ich bin
stumm darüber. Doch die Folgen jenes trügerischen
Glückes, sie sind es, an denen ich noch leide. Ich
habe nicht nur Dich, sondern auch meine Verwand=
ten verloren, denn die Scham der Sünderin hieß
mich ihr Haus fliehen, und mich mit dem Sprossen
unserer Liebe in die tiefste Einsamkeit bergen; da über=
fallen Räuber meine Hütte und nehmen mir die letzte
Freude, mein Kind; nun stand ich ganz allein!
Albrecht von Milbenberg, fühlst Du, was es heißt:
ganz allein in der großen, weiten Welt zu stehen?
Sieh mich an, und Du wirst die Wirkung dessen
vor Augen haben. Diese Gestalt, vor zwanzig Jah=
ren schlank und üppig, von Dir hundertmal in glü=
hender Umarmung umfangen, ist verkrüppelt und ver=
schrumpft, die Kraft der Glieder ist verschwunden, das
Mark der Knochen ist verdorrt; dieses Antlitz, vor
zwanzig Jahren jung und frisch, tausendmal von Dir
geküßt, geschmeichelt, mit einem Blumenkelch vergli=
chen, dieses Antlitz ist nun von tiefen Furchen durch=
schnitten, ist fahl und verwelkt; das Haar, einst braun

und seidenweich, ist starr und grau geworden; mein
Auge, in welches zu schauen Du einst für das höchste
Glück zu halten schienst; mein Auge, das Dir stets
treu und freudig entgegen sah, und Dein Bild wie
ein heller Spiegel wiedergab; mein Auge, einst frisch
und licht: es ist erblindet, erblindet von Thränen, die
ich meinem verlornen Glücke nachgeweint. So hab'
ich geduldet, gelebt und gelitten, fern von Allen, die
mir verwandt und theuer sind, so trete ich vor Dich
hin, ein Gespenst der Vergangenheit, wie aus dem
Grabe aufgestiegen, und flehe Dich an, Albrecht von
Mildenberg! gieb mir wieder, was Du mir genommen, gieb mir die Ruhe meines Lebens wieder!" —

Der Herzog war tief bewegt. Die Gestalt dieser durch Leiden und Kummer dem Grabe nahe ge-
brachten Frau ließ ihn zwar keine Spur jener Katharina wiederfinden, die einst so reizend und wonnig
die Seine gewesen, und deren Bild noch immer wie
ein angenehmer Traum durch seine Seele zitterte;
aber die Stimme, ihre Stimme pochte mächtig an
die Pforte seines Herzens; diese Stimme, obwohl
nicht mehr so wohlklingend und frisch, mahnte ihn
doch zu deutlich an die Vergangenheit; diese Stimme,
welche er unter hundert andern alsogleich erkannt
hätte, war es, welche ihn bewegte und sein Herz wär-
mer fühlen machte.

18 *

„Was forderst Du von mir, Katharina?" fragte er mit theilnehmendem Tone.

„Aussöhnung mit meinem Bruder!"

„Durch mich?"

„Ja — Albrecht, durch Dich!"

„Nie, nie!" rief der Herzog; „fordere Alles, nur dieses nicht! Dein Bruder hat sich von mir gewendet und den Kaiserlichen angeschlossen; erführe er die Vergangenheit, er würde toben, und selbst jene, die ich noch zu den Meinen zähle, von mir ziehen und gegen mich aufwiegeln. Katharina!" er ergriff die Hand der Blinden, „ich schulde Dir viel, so viel, daß ich es Dir zu vergelten nie im Stande sein werde; ich habe damals unbedacht gehandelt, ich ließ mich von jenem Ellerbach leiten und strebte nach Deinem Besitze; ich vergaß, daß Fürsten nie dem Herzen folgen dürfen, sondern nur dem Willen ihrer Räthe, und den Vortheilen ihrer Länder. Es ist vorüber, die Vergangenheit läßt sich nicht mehr ändern; wozu also diese Erinnerungen, die für Dich und mich so herb und bitter sind? Was begehrst Du, daß für Dich geschehen soll?"

„Meinst Du, Albrecht, die Noth des Lebens habe mich zu Dir getrieben? — Du irrst! — Die Freiin von Ellerbach hat mich in ihre Arme aufgenommen, und pflegt mich wie eine Tochter ihre Mut-

ter. Sie war es, deren Wunsch der Ebersdorfer erfüllte, indem er mich zu Dir leitete."

„Weiß er vielleicht —"

„Nein, Albrecht! Dein Name ist noch nicht über
meine Lippen gekommen; sie wissen noch nichts; ob
sie aber auch noch nichts ahnen, das vermag ich
nicht zu verbürgen. Es ist also nicht der Mangel,
der mich zu Dir trieb, sondern die laute Stimme des
tief gekränkten Herzens, das Bedürfniß, im Alter nicht
allein zu sein, allein unter Menschen, die, obwohl
sie mit freundschaftlicher Theilnahme an mir handeln,
mir doch immer fremd sind. Ich will unter Verwandten leben, ich will Herzen um mich haben, die
mir von jeher nahe waren, ich will Versöhnung mit
den Meinen!"

„Katharina! Du forderst von mir, was ich nie
leisten werde!"

„Du weigerst Dich, Albrecht? Du willst, daß
ich auch jetzt noch von meinem Bruder fern bleiben
soll? Nein, nein! Ich kann nicht mehr! Der Augenblick ist gekommen, ich kann das Versprechen der Verschwiegenheit nimmer bewahren, ich werde ihm Alles
entdecken —"

„Katharina! Du wolltest — ?"

„Ich werde!"

„Katharina! welch' ein Eigensinn!"

„Soll ich noch länger schmachten?"

Der Herzog befand sich in einer peinlichen Verlegenheit; seiner bereits schwankenden Macht, seinem gesunkenen Ansehen drohte durch diese Entdeckung ein erschütternder Stoß; er mußte Alles wagen, die Blinde davon abzuhalten. Er sann nach — ein Gedanke erfaßt ihn.

„Katharina!" rief er, „Dir soll geholfen werden! Ein Gott gab mir diesen Gedanken ein. Sprich, warst Du Deinem Bruder je mit echt schwesterlicher Liebe zugethan?"

„Zwischen uns Beiden hat zwar nie eine innigere Neigung bestanden, aber deßhalb —"

„Genug, rede nicht weiter und sage mir: Würdest Du fern von Deinem Bruder nicht glücklicher sein, wenn ich Dir ein Herz zuführte, an dem Du mit ganzer Seele hangen, in dessen Schlägen Du Dein eigenes Leben erkennen würdest?" —

„Albrecht — heiliger Gott — welche Worte — erkläre Dich!" —

„Versprich mir, unser Geheimniß zu bewahren, bis meine Macht fest steht, und Du sollst nicht mehr allein bleiben."

„Ich gelobe es, schnell, bei allen Heiligen beschwöre ich Dich! rede —"

„Katharina, Dein Sohn —"

Die Blinde zitterte, ihr Herz schlug in ahnungs-
voller Wonne, Schauer der kommenden Seligkeit
durchfröstelten ihre Glieder. „Mein Sohn?" stammelte sie.

„Er lebt!"

Sie stürzte auf die Knie nieder, seufzte, stöhnte,
hob die Hände gen den Himmel, und umfaßte dann
die Füße des Herzogs —

„Gott — Gott!" ächzte sie, „Mutter Gottes —
Gnade — nur eine Thräne — schenke mir!"

Es war eine erschütternde Scene!

Albrecht sah ergriffen auf die Frau hernieder und
bemühte sich vergebens, sie zu sich zu erheben. Sie
hielt ihn fest umklammert und stöhnte: „Laß mich
— Du bist mein Engel! — mein Herz, es bricht
die Schranken — nur eine Thräne — mein Gott
— nur eine Thräne!"

Dem Herzoge war es endlich gelungen, sich los-
zumachen und die Zitternde aufzurichten; im Ringen
mit ihr hatte sich die schwarze Binde von den Augen
verschoben, er sah die nachtfinstern Höhlen, rothe
Tropfen perlten aus denselben hervor, der Himmel
hatte der Armen Thränen geschenkt, aber es waren
blutige Thränen!

Und der Herzog, von diesem Anblicke ergriffen,
gerührt, zerschmettert, wischte die glühenden Spuren

von der welken Wange und flüsterte: „Fasse Dich,
Katharina! um's Himmels willen! fasse Dich, komm
zu Dir!" —

„Ich bin ja gefaßt," lächelte jetzt schluchzend die
Blinde, „ich habe geweint, nun ist mir wohl, ich
werde meinen Sohn wieder haben, und mir bleibt
nichts mehr zu fordern übrig. Mildenberg! Diesen
Augenblick, diese Stunde möge Dir der Himmel lohnen, Du hast mir mehr gegeben, als ich zu fordern
kam." —

„Höre mich ruhig an, Katharina! Dein Sohn
lebt, ich war es, der ihn Dir nehmen ließ, um Dich
der Sorge für ihn zu entheben, und — ich will aufrichtig sein — um mir ein Wesen zu erziehen, das
mich mit ganzer Seele lieben sollte; denn glaube mir
sicher: so einsam als Du stehe auch ich unter den
Menschen. Du hast mindestens Freunde gefunden,
aber ich, der Fürst, darf auch auf diese nicht zählen;
für den Fürsten ist die Freundschaft, so wie die Liebe
verloren. Doch nichts mehr hiervon, höre meinen
Entschluß. Du kehrst ruhig zur Freifrau von Ellerbach zurück, und ich werde Dir Deinen Sohn senden."

„Wie, ich soll noch harren?"

„Nur wenige Wochen. Ich muß den jungen
Mann erst hierher bescheiden, um mit ihm ein gewichtig Wort zu reden."

„Er ist also nicht hier?"

„In diesem Augenblicke nicht, aber ein Wort von mir, und er eilt hierher."

„Du wirst nicht säumen?"

„Gewiß nicht. Katharina! kennst Du diesen Ring?"

Der Herzog zog einen Goldreif vom Finger und überreichte ihn der Blinden; diese nahm ihn, und ihn zwischen ihren Finger rollend, entgegnete sie: „Wie sollte ich ihn nicht kennen? Es ist ja jener Ring, den ich Dir einst gegeben: zwei Stengel, die sich umwinden und in eine Rose endigen, deren Krone aus einer rothen Koralle gefertigt ist."

„Du siehst, Katharina, ich habe die Geschenke Deiner Liebe treu bewahrt; nun reich mir den Ring wieder, der Ueberbringer desselben wird Dein Sohn sein."

„Dank, tausend Dank! mein Albrecht!" rief die Blinde, und führte, ehe es der Herzog verhindern konnte, seine Hand an ihre Lippen, „ich werde ihn wiedersehen! Mein Himmel! Du bist so gnädig und hast mir noch Freuden auf dieser Erde beschieden, mir, die schon an Allem verzweifelt war, was dieses Leben zu bieten vermag."

„Nun noch Eines, Katharina! Ich werde für Euch Beide Sorge tragen, aber Du leistest mir noch

das Versprechen, Deinem Sohne nichts zu ent=
decken." —

"Er weiß also noch nichts?"

"Ich war wohl einmal auf dem Punkte, ihm
seinen Vater zu erkennen zu geben, aber es unterblieb;
das veröffentlichte Geheimniß würde nur sein Glück,
vielleicht sogar seine Freiheit bedrohen. Hab' ich ein=
mal das errungen, wornach ich strebe, habe ich mei=
nen Thron fest gestützt, dann werde ich ihn frei und
offen an mich ziehen, und ich will die Makel löschen,
die seine Geburt beflecken."

Katharina entgegnete: "Ich schwöre Dir, mein
Geheimniß zu bewahren, wie bisher; der Name sei=
nes Vaters soll, so lange Du es wünschest, nicht
über meine Lippen kommen."

"Und nun — lebe wohl!" —

Die Blinde hielt die Hand des Herzogs an ihr
pochendes Herz gepreßt und sprach: "Fühle, Albrecht,
wie glücklich Du mich gemacht. In meinem Sohne
schenkst Du mir ein freudiges Leben wieder; unter
seiner Umarmung werde ich erstarken, der Athem sei=
nes Mundes wird mich neu erheben. Mögen die
andern Menschen von Dir nun sprechen und denken,
was sie wollen, ich werde Dich nur stets verehren,
in meinem Herzen wird Dein Andenken ohne Makel
sein. Lebe wohl, Albrecht! gedenke meiner manch=

mal, ich — ich will Alles vergessen, was bisher zwischen uns vorgefallen, ich werde nur noch die Wonne
des heutigen Tages im Gedächtniß behalten, und
meinem Kinde, wenn es mich nach dem Namen seines Vaters drängen wird, zulispeln: Er hieß Milbenberg, mein Sohn, und war mir und Dir gegenüber ein guter Mensch! — Lebe wohl — ich halte
meine Zusage, — ich bleibe fern von den Meinen,
und werde vergessen, daß mein Vater ein Fronauer
gewesen!"

Sie verließ das Gemach.

Herzog Albrecht sah ihr ergriffen nach.

„Soll ich noch länger schmachten?"

Der Herzog befand sich in einer peinlichen Verlegenheit; seiner bereits schwankenden Macht, seinem
gesunkenen Ansehen drohte durch diese Entdeckung ein
erschütternder Stoß; er mußte Alles wagen, die Blinde
davon abzuhalten. Er sann nach — ein Gedanke
erfaßt ihn.

„Katharina!" rief er, „Dir soll geholfen werden! Ein Gott gab mir diesen Gedanken ein. Sprich,
warst Du Deinem Bruder je mit echt schwesterlicher
Liebe zugethan?"

„Zwischen uns Beiden hat zwar nie eine innigere Neigung bestanden, aber deshalb —"

„Genug, rede nicht weiter und sage mir: Würdest Du fern von Deinem Bruder nicht glücklicher
sein, wenn ich Dir ein Herz zuführte, an dem Du
mit ganzer Seele hangen, in dessen Schlägen Du
Dein eigenes Leben erkennen würdest?" —

„Albrecht — heiliger Gott — welche Worte —
erkläre Dich!" —

„Versprich mir, unser Geheimniß zu bewahren,
bis meine Macht fest steht, und Du sollst nicht mehr
allein bleiben."

„Ich gelobe es, schnell, bei allen Heiligen beschwöre ich Dich! rede —"

„Katharina, Dein Sohn —"

Die Blinde zitterte, ihr Herz schlug in ahnungs-
voller Wonne, Schauer der kommenden Seligkeit
durchfrößtelten ihre Glieder. „Mein Sohn?" stammelte sie.

„Er lebt!"

Sie stürzte auf die Knie nieder, seufzte, stöhnte,
hob die Hände gen den Himmel, und umfaßte dann
die Füße des Herzogs —

„Gott — Gott!" ächzte sie, „Mutter Gottes —
Gnade — nur eine Thräne — schenke mir!"

Es war eine erschütternde Scene!

Albrecht sah ergriffen auf die Frau hernieder und
bemühte sich vergebens, sie zu sich zu erheben. Sie
hielt ihn fest umklammert und stöhnte: „Laß mich
— Du bist mein Engel! — mein Herz, es bricht
die Schranken — nur eine Thräne — mein Gott
— nur eine Thräne!"

Dem Herzoge war es endlich gelungen, sich los-
zumachen und die Zitternde aufzurichten; im Ringen
mit ihr hatte sich die schwarze Binde von den Augen
verschoben, er sah die nachtfinstern Höhlen, rothe
Tropfen perlten aus denselben hervor, der Himmel
hatte der Armen Thränen geschenkt, aber es waren
blutige Thränen!

Und der Herzog, von diesem Anblicke ergriffen,
gerührt, zerschmettert, wischte die glühenden Spuren

von der welken Wange und flüsterte: „Fasse Dich, Katharina! um's Himmels willen! fasse Dich, komm zu Dir!" —

„Ich bin ja gefaßt," lächelte jetzt schluchzend die Blinde, „ich habe geweint, nun ist mir wohl, ich werde meinen Sohn wieder haben, und mir bleibt nichts mehr zu fordern übrig. Mildenberg! Diesen Augenblick, diese Stunde möge Dir der Himmel lohnen, Du hast mir mehr gegeben, als ich zu fordern kam." —

„Höre mich ruhig an, Katharina! Dein Sohn lebt, ich war es, der ihn Dir nehmen ließ, um Dich der Sorge für ihn zu entheben, und — ich will aufrichtig sein — um mir ein Wesen zu erziehen, das mich mit ganzer Seele lieben sollte; denn glaube mir sicher: so einsam als Du stehe auch ich unter den Menschen. Du hast mindestens Freunde gefunden, aber ich, der Fürst, darf auch auf diese nicht zählen; für den Fürsten ist die Freundschaft, so wie die Liebe verloren. Doch nichts mehr hiervon, höre meinen Entschluß. Du kehrst ruhig zur Freifrau von Ellerbach zurück, und ich werde Dir Deinen Sohn senden."

„Wie, ich soll noch harren?"

„Nur wenige Wochen. Ich muß den jungen Mann erst hierher bescheiden, um mit ihm ein gewichtig Wort zu reden."

„Er ist also nicht hier?"

„In diesem Augenblicke nicht, aber ein Wort von mir, und er eilt hierher."

„Du wirst nicht säumen?"

„Gewiß nicht. Katharina! kennst Du diesen Ring?"

Der Herzog zog einen Goldreif vom Finger und überreichte ihn der Blinden; diese nahm ihn, und ihn zwischen ihren Finger rollend, entgegnete sie: „Wie sollte ich ihn nicht kennen? Es ist ja jener Ring, den ich Dir einst gegeben: zwei Stengel, die sich umwinden und in eine Rose endigen, deren Krone aus einer rothen Koralle gefertigt ist."

„Du siehst, Katharina, ich habe die Geschenke Deiner Liebe treu bewahrt; nun reich mir den Ring wieder, der Ueberbringer desselben wird Dein Sohn sein."

„Dank, tausend Dank! mein Albrecht!" rief die Blinde, und führte, ehe es der Herzog verhindern konnte, seine Hand an ihre Lippen, „ich werde ihn wiedersehen! Mein Himmel! Du bist so gnädig und hast mir noch Freuden auf dieser Erde beschieden, mir, die schon an Allem verzweifelt war, was dieses Leben zu bieten vermag."

„Nun noch Eines, Katharina! Ich werde für Euch Beide Sorge tragen, aber Du leistest mir noch

das Versprechen, Deinem Sohne nichts zu entdecken." —

"Er weiß also noch nichts?"

"Ich war wohl einmal auf dem Punkte, ihm
seinen Vater zu erkennen zu geben, aber es unterblieb;
das veröffentlichte Geheimniß würde nur sein Glück,
vielleicht sogar seine Freiheit bedrohen. Hab' ich einmal das errungen, wornach ich strebe, habe ich meinen Thron fest gestützt, dann werde ich ihn frei und
offen an mich ziehen, und ich will die Makel löschen,
die seine Geburt beflecken."

Katharina entgegnete: "Ich schwöre Dir, mein
Geheimniß zu bewahren, wie bisher; der Name seines Vaters soll, so lange Du es wünschest, nicht
über meine Lippen kommen."

"Und nun — lebe wohl!" —

Die Blinde hielt die Hand des Herzogs an ihr
pochendes Herz gepreßt und sprach: "Fühle, Albrecht,
wie glücklich Du mich gemacht. In meinem Sohne
schenkst Du mir ein freudiges Leben wieder; unter
seiner Umarmung werde ich erstarken, der Athem seines Mundes wird mich neu erheben. Mögen die
andern Menschen von Dir nun sprechen und denken,
was sie wollen, ich werde Dich nur stets verehren,
in meinem Herzen wird Dein Andenken ohne Makel
sein. Lebe wohl, Albrecht! gedenke meiner manch-

mal, ich — ich will Alles vergeſſen, was bisher zwiſchen uns vorgefallen, ich werde nur noch die Wonne
des heutigen Tages im Gedächtniß behalten, und
meinem Kinde, wenn es mich nach dem Namen ſeines Vaters drängen wird, zulispeln: Er hieß Mildenberg, mein Sohn, und war mir und Dir gegenüber ein guter Menſch! — Lebe wohl — ich halte
meine Zuſage, — ich bleibe fern von den Meinen,
und werde vergeſſen, daß mein Vater ein Fronauer
geweſen!"

Sie verließ das Gemach.

Herzog Albrecht ſah ihr ergriffen nach.

Elftes Capitel.

Die ·Markgräfin von Baden erfüllte getreulich ihre der Kaiserin Eleonore geleistete Zusage.

Ein Landtag zu Tula ward festgesetzt. Ein Waffenstillstand wurde geschlossen, mittlerweile sollte der Friede zu Stande kommen.

Unter dem Vorsitze des päpstlichen Legaten wurde der Landtag eröffnet, welcher zahlreich wie noch keiner besucht war. Von jeder Seite der feindlichen Fürsten waren fünf Räthe anwesend, außer diesen die meisten Edelherren des österreichischen Landes, die höheren geistlichen Würdenträger, Bischöfe, Aebte und Pröbste, einige Reichsfürsten, mehrere Herren vom Hofstaate der Markgräfin, ja sogar vom Wiener Rathe hatten sich der Ebner, Kirchheimer, Storch, Liebhart und einige Andere eingefunden.

Eine lange Reihe von Friedensartikeln wurde abgefaßt und den Fürsten nach Neustadt und Wien zur Einsicht übersendet. Die Räthe des Kaisers verweigerten aber ihre Annahme selbst dann noch, als mehrere Punkte nach ihrem Willen geändert worden waren. Jede Mühe, eine Einigung zu erzielen, war also vergebens; der Landtag ging unverrichteter Sache auseinander.

Die Stände sandten Abgeordnete nach Neustadt; vergebens; die kaiserlichen Räthe traten mit immer neuen Einwendungen und unerwarteten Forderungen hervor, welche des Herzogs Geduld, dem es jetzt ernstlich um den Frieden zu thun war, ermüdeten; troß dem ließ er sich die Verlängerung des Waffenstillstandes gefallen und ging auf einen neuen, zu Habersdorf zu haltenden, Landtag ein, wo über die noch unentschiedenen Punkte neuerdings berathschlagt werden sollte.

Aber siehe da, plötzlich erschienen zwei kaiserliche Patente, deren erstes den verlängerten Waffenstillstand verkündete, das andere aber allen kaiserlich Gesinnten strengstens verbot, den verabredeten Landtag zu besuchen, auf welchem doch der Friede geschlossen werden sollte.

Wohl staunte man im ersten Augenblicke über diese plötzliche Wendung der kaiserlichen Gesinnung, allein bald war das Räthsel gelöst. Unter den Edelherren zu Neustadt sah man plötzlich mehrere, welche

kurz vorher zu den wärmsten Anhängern des Herzogs
gehört hatten, als: Heinrich von Lichtenstein,
die beiden Ebersdorfer, die beiden Pottendor-
fer, ja sogar Albrechts Kanzler, Stefan von Hohenberg. Der Kaiser, durch diese Uebermacht ge-
stärkt, sah nun im Geiste schon den Augenblick her-
angekommen, in welchem sein Bruder, von Allen verlassen, fast vereinzelt da stehen, und er wieder, als
unumschränkter Herrscher des Oesterreicher Landes,
keine Gegner zu fürchten haben werde. Jeder Friede
war ihm daher unter solchen Umständen verhaßt, er
wollte neuerdings Krieg, um von dem geschwächten
Feinde das Verlorne wieder zu erobern, und ihn solcher Weise zu demüthigen. Jetzt forderte er von Albrecht nicht nur die abgenommenen Schlösser, sondern
sogar das Land ob der Enns zurück. Der Herzog
brauste auf in neuentbranntem Hasse, der Vertilgungs=
kampf sollte von Neuem auflobern, schon waren die
blutigen Würfel geworfen, schon sollte das Schwert-
spiel abermals beginnen, da — — — — — doch
wir wollen den Begebenheiten unseres Gemäldes nicht
vorgreifen.

Es war am Andreasabend des Jahres 1463.

Der Herzog kehrte eben von seiner Schwester,
der Markgräfin, zurück, welche er besuchen wollte, aber
nicht zu Hause gefunden hatte.

Rasch stieg er die Treppe zu seinen Gemächern hinan; Ortolf Greimann empfing ihn.

„Rasch, mein Getreuer!" rief er dem Vertrauten zu, „laß ein helles Feuer im Kamine auflodern. Mir schauert es eisigkalt durch die Glieder."

Der Befehl wurde vollzogen.

Der Herzog konnte nicht nahe genug an die Flammen rücken; Ortolf befand sich an seiner Seite.

„Greimann, ich habe einen wichtigen Auftrag, den Du mir durch einen verläßlichen Diener besorgen lassen mußt," sprach der Herzog nach einer Weile; „hast Du einen Getreuen in der Nähe, dem man eine wichtige Botschaft anvertrauen kann?"

„Ja, mein gnädiger Herr!"

„Wohlan, so sende ihn noch heute nach Neustadt. Am Hofe Unseres kaiserlichen Bruders befindet sich ein junger Mann, Heinrich Blumtaler ist sein Name, demselben möge er in meinem Namen befehlen, alsogleich nach Wien zu kommen, da er von mir eine für seine Zukunft äußerst wichtige Nachricht erfahren werde. Hast Du mich verstanden?"

„Ganz wohl — ich werde thun, wie Ihr befohlen, gnädiger Herr."

Der frostige Schauer nahm von Augenblick zu Augenblick zu, der Herzog ging unwohl zu Bette.

Ortolf Greimann blieb wachend an seinem Lager.

Der Herzog wälzte sich unruhig umher. Ein Schmerz unter dem Arme peinigte ihn. Greimann untersuchte die Stelle und entdeckte mit Schrecken zwei große, schwarze Beulen.

„Gnädiger Herr!" begann er mit Besorgniß, „Ihr seid krank."

„Krank?" rief Albrecht zornig aus, „ich bin. nicht krank; wer sagt Dir, daß ich krank sei?"

„Ich werde einen Arzt —"

„Wag' es nicht," unterbrach ihn der Fürst, „ich bin nicht krank, und will nicht krank sein! Diese Beulen sind alte Folgen eines Falles, den ich einst bei einem Turnier zu Freiburg gethan; ich werde Dir beweisen, daß ich nicht krank bin. Reich mir den vollen Be- cher her — schnell — schnell — so, mein Getreuer — der Wein mundet — Schade, daß ich ihn allein trin- ken muß — und daß nicht ein holdes Frauenbild an meiner Seite sitzt — wen meinst Du wohl, Ortolf, würde ich mir in diesem Augenblick herbeiwünschen? — Die schöne Freifrau! nicht wahr? Das Weib ist ein Engel — ich kenne der Frauen viele in unserem Lande, aber so wie Juliane, so reizend, — so lieb- lich — wahrhaftig — sie wird — sie muß ihren Sinn ändern."

Noch lange fuhr der Fürst in diesem Tone fort, sein Muthwille sollte den Gedanken an die Möglichkeit einer Krankheit verscheuchen, aber es gelang ihm nicht ganz, der Zwang war bemerkbar. Das Uebel nahm von Stunde zu Stunde zu.

Am andern Vormittage verlangte er selbst nach einem Arzte. Es war ein Donnerstag und der Erste des Christmonates.

Man wollte nach Michael Schrick senden, allein Albrecht rief: „Nein, nein; nicht den Schrick, er ist von je ein Kaiserer gewesen!"

So wurde Hanns Kirchheimer geholt. Er erschien mit einem Apotheker, der sein und des gerichteten Holzers Verwandter war.

Der Edle Jörg von Stein, und noch ein Kämmerer, Hanns Hirschmann, waren nebst Ortolf anwesend.

Jörg von Stein wechselte mit dem Kirchheimer einige lateinische Worte*).

Kirchheimer verordnete dem Herzoge Gewürzschnitten, dann Theriak und Rosenwasser.

Mit einer gewissen unverkennbaren Aengstlichkeit richtete der Herzog mehrere Male an Ortolf die Frage: Ob er den Boten noch gestern Abend nach Neustadt abgesandt habe?

---

*) Diese Umstände gaben Veranlassung zu der Meinung, daß der Herzog vergiftet worden sei.

Buch v. den Wienern. III.   19

Es wurde bejaht.

Kaum hatte der Fürst den Theriak genommen, so begann es ihm in der Gegend des Herzens zu wühlen, er wurde unruhiger als früher, und wälzte sich rastlos auf seinem Lager umher. Ein stechender Schmerz durchfluthete sein Inneres, er stöhnte, seufzte und biß die Zähne in einander. Todesblässe lagerte sich auf seinen Wangen, er begann sich zu winden und zu krümmen.

So nahte der Abend des Donnerstags heran.

„Ist der Bote noch nicht von Neustadt zurück?" fragte Albrecht einige Male unter den heftigsten Schmerzen.

Nur Ortolf wußte, was diese Frage zu bedeuten habe. Er verneinte sie.

Neue Ungeduld bemeisterte sich des Herzogs. Er glich einem Menschen, der noch vor der Abreise in ein fernes Land einem theueren Herzen zum Abschiednehmen entgegen sieht.

Stunde an Stunde verfloß, die Schmerzen nahmen von Augenblick zu Augenblick zu, der Herzog keuchte, heulte und verging schier unter verzehrender Pein. Da faßte er sich, und wie Jemand, der seine ganze Kraft zu einem riesigen Sprunge sammelt, schrie er: „Ist der Hund noch nicht zurück?" —

Dem Erwarteten waren zwar schon Eilboten ent-

gegen gefandt, aber für den Augenblick mußte man
die geschehene Frage noch immer verneinen. — Da
ballte der Kranke in rasender Verzweiflung die Faust
und warf sich in eigensinniger Wuth auf das Lager.

„Hund — so lange — ach Gott — es ist —
es wird zu spät!" Diese Worte stieß er heulend hervor, dann aber murmelte er leise: „Katharina —
Heinrich!"

Hierauf durchzuckte es ihn, wie ein elektrischer
Funke, er streckte sich, der Kopf sank zurück, die Hände
ruhten schlaff an seiner Seite, die Augen waren offen, der Blick stier, es hatte ihn der Schlag gerührt.

Aber die riesige Natur war noch nicht erlegen;
noch lebte der Herzog, er schien gegen den Tod eben
so hartnäckig, wie gegen seinen kaiserlichen Bruder zu
kämpfen.

Mit weit aufgerissenen Augen lag er da, der
Blick war auf die Thüre gerichtet, mechanisch hob er
immer die Rechte, an deren Zeigefinger ein goldener
Reif steckte, gebildet von zwei Stengeln, die sich um-
wanden und in eine Rose endeten.

Niemand wußte, was diese Bewegung zu bedeuten habe.

Eine Allen unerklärbare Unruhe wurde in seinen Blicken und Zügen erkennbar; er wollte sprechen,
allein die Zunge war gelähmt, der geöffnete Mund

19*

klappte wieder zu; mehr als fünfzig Mal versuchte er, den Blick auf Jörg von Stein gerichtet, diesem etwas zu sagen, aber es blieb vergebens!

Sein Blick fiel auf die Thüre, er schien noch immer Jemanden zu erwarten, dann sah er wieder auf die Hand und den bezeichneten Ring.

Endlich — es war schon nahe am Morgen — begann der furchtbare Kampf des Todes mit dem Leben.

Dieser Widerstand einer zähen Natur, dieses Ueberwinden eines kraftvollen Körpers war gräßlich anzuschauen.

Es war ein Zucken — Kreischen — Schäumen — die Augen rollten das Weiße hervor — der Mund war aufgerissen — die Finger waren starr und auseinander gestreckt — nur Ortolf blieb anwesend, die Andern entfernten sich aus dem Gemache, denn sie vermochten den erschütternden Anblick nicht zu ertragen.

Jetzt öffnete sich die Thüre, und Heinrich Blumtaler trat ein.

Der junge Mann, schon außen von dem Unglücksfalle in Kenntniß gesetzt, und ahnend, wem er gegenüber stehe, stürzte an's Lager, sank auf die Knie und faßte die Hand des Herzogs.

Da zuckte der Körper des Fürsten zusammen,

und so wie der Sturm oft plötzlich inne hält, so hörte auch auf einen Augenblick lang der Todeskampf auf.

Der Herzog sah den jungen Mann, sein Auge funkelte, er bewegte die Hand, welche Heinrich gefaßt hielt.

Dieser wurde aufmerksam, er bemerkte das Zucken des Fingers — sah den Ring — ein Gedanke durchbebte ihn — er zog den Ring herab — in demselben Augenblicke erstarrte die Hand, ein leiser Hauch — die Augen verglasten — der Körper streckte sich — der Herzog war todt!

Heinrich Blumtaler drückte ihm die Augen zu und verließ, ehe noch die Kämmerer eingetreten waren, heimlich die Burg.

Herzog Albrecht starb am Freitag Morgen, am zweiten Tage des Christmonats 1463.

Am fünften Tage darnach wurde er zu St. Stefan feierlich beigesetzt.

Der Wiener Pöbel brach in Wehklagen aus, und bald verbreitete sich das Gerücht, daß der Herzog vergiftet worden sei, aber die angestellte Untersuchung bewies nichts, und ein gleichzeitiger Chronist, welcher sich sonst immer als ein warmer Anhänger des Herzogs zeigt, sagt über dessen Ende: „Ich fürchte leider, daß Gott der Allmächtige über den großmü-

thigen Fürsten einen solchen schnellen Tod verhängt
hat, darum, daß er an den Bürgern das unschuldige
Blut mehr durch des zeitlichen Gutes, als von Ver=
schuldung wegen ließ vergießen, das täglich von dem
Erdreich um Rache über ihme geschrieen hat!*)"

Der Herzog war todt — die Kunde hiervon
fleugt durchs ganze Land — das zermalmte Oester=
reich athmet auf — endlich war es zwischen den
beiden Fürsten Friede geworden — nun bedürfen sie
keiner Landtage, keiner Friedensbedingnisse mehr —
nun war kein Bruch mehr zu fürchten. — O, der Tod,
er ist ein guter Friedensstifter; wo er sich ins Spiel
mischt — da tritt gewiß Ruhe ein!!! —

---

*) Historia rerum austricarum, pag. 131.

Zwölftes Capitel.

Wir eilen nun in raschen Schritten dem Ende unseres Gemäldes zu.

·Auf Schloß Eichbüchl herrscht noch immer das frühere friedliche Einvernehmen. Ja sogar die Blinde war seit ihrer Rückkehr von Wien eine Andere geworden. Sie mied es nicht mehr unter den Bewohnern zu erscheinen, war nicht mehr so düster und trübe wie früher, ja eine gewisse, wenn auch nicht heitere, so doch lebhafte Theilnahme und Beweglichkeit machten ihren jetzigen Umgang angenehm und freundlich. Wie sehnlich sie dem zu erscheinenden Sendling des Herzogs entgegen sah, läßt sich leicht erwägen, und wir brauchen der Ungeduld, die sie dabei an den Tag legte, kaum zu erwähnen. ·

Der greise Urschendorfer war eben auf dem Schlosse anwesend.

Die Freifrau befand sich mit ihm allein, und erhielt eben die Mittheilung, daß er Amelei mit nach

Hause zu nehmen gedenke, indem das herannahende
Weihnachtsfest diese Nothwendigkeit erheische.

Juliane wollte diese Gelegenheit nicht unbenutzt
vorüberstreichen lassen, ohne mit dem Vater der
Freundin über jene wichtige Angelegenheit gesprochen
zu haben, von welcher das Glück, ja sogar das Leben
seines Kindes abhing.

Als Kling seine Mittheilung geschlossen hatte,
entgegnete die Freiin: „Ihr seid undankbar mein
Freund! Ihr scheint vergessen zu haben, daß ich es
war, in deren Umgang Amelei ihre verlorne Gesund-
heit wieder erlangte, oder erinnert Ihr Euch nicht
mehr, in welchem Zustande Ihr das Mädchen hierher gebracht?"

„Wie könnte ein Vater, dem sein Kind, so wie
Amelei mir, sein Alles ist, wie könnte ein Vater das
vergessen, was ihm das Leben seines Kindes erhielt?"

„Und dennoch wollt Ihr sie von mir entfernen?"

„Aber, theuere Juliane! soll sie denn für immer
hier verweilen?"

„Ihr werdet aber doch zugestehen, daß sie auch
nicht immer auf Urschendorf verbleiben kann, und
daß eine Stunde kömmt, in welcher sie Euch verlassen wird."

„Wie meint Ihr dies?"

„Ganz einfach; Amelei wird ja wohl einst, so

wie alle Frauen, das Haus der Eltern verlaßen, um ihrem Gatten zu folgen."

„So, ganz recht; daran hab' ich vor der Hand noch nicht gedacht; da sieht man doch gleich, wie die Frauen in gewißen Dingen viel weiter sehen, als wir Männer; aber bis dahin," lachte er hell auf, „hat es noch lange Zeit."

„Nicht so lange, als Ihr meint."

„Amelei denkt gewiß auch nicht daran!"

„Wer weiß!"

Diese beiden Wörtchen, und der Ton, mit dem sie gesprochen wurden, machten den Greis aufmerksam; er schüttelte bedenklich das Haupt und rief: „Tausend Donnerwetter! wer hätte denken sollen —"

„Bleibt gelaßen, Herr Kling!"

„Aber hinter des Vaters Rücken, da soll ja das —"

„Aber ruhig, Väterchen!"

„Wer kann da gelaßen, wer ruhig bleiben! Ich werde das Mädl vor Gericht ziehen, ich will hören, ob der Junge derselbe ist —"

„Dies Alles könnt Ihr auch von mir vernehmen; mäßiget Euch und befolgt meine Warnung, wenn Ihr Euer Kind am Leben erhalten wollt."

Hanns Kling sah die Sprecherin erstaunt an, und Juliane fuhr fort: „Ja, ja, theurer Freund!

Amelei's Leiden war ein Seelenschmerz. Die Liebe warf sie aufs Siechbett!"

„Hol' der Henker die Liebe! Ich will mein Kind, und sonst nichts; was hat die Närrin sich so zu vergessen, daß der Schmerz sie darnieder wirft! Aber ich werde mit dieser Lieb' ein End' machen: wie hinein ins Herz, so hinaus!"

„O ja, sehr leicht hinaus, aber auf den Friedhof!"

Der Greis erblaßte und Juliane fuhr fort: „Aber, edler Freund! wie mögt Ihr gegen ein Gefühl eifern, dessen Gegenstand Ihr noch nicht kennt —"

„Meint Ihr, ich wisse es nicht? Hab's gleich heraus gehabt! Amelei kennt Niemanden als ihn, den sie in Wien in Eurem Hause öfters sah — er aber ist ein Kaiserer —"

„Und der Retter Eures Kindes!"

„Frau Juliane! Ihr scheint sehr seine Partei zu nehmen."

„Weil er ein edler, guter Mensch ist, in dessen Armen meine süße Freundin gewiß das Glück ihres Lebens finden wird."

„Aber ein Kaiserer —"

„Diese Parteiung muß einmal ein Ende nehmen, und wenn auch nicht, was liegt am Ende daran, wenn der Gatte Eurer Tochter dem Kaiser anhängt?

Ihr habt Euch ja ohnedies von dem Herzoge abge-
sagt; Ihr werdet Euch daher nie als Feinde gegenüber stehen. Bedenkt nur, theurer Freund! daß es
sich hier nicht allein um das Glück, sondern auch um
das Leben Eures einzigen Kindes handle; denn wenn
eine kurze Trennung von dem Geliebten sie schon auf
das Krankenlager warf, so würde sie dem Schmerze,
ihn zu verlieren, gewiß unterliegen."

Der Urschendorfer konnte die Wahrheit und Wichtigkeit dieser Worte nicht läugnen, und er begann
schon mit dem Gedanken, Amelei in den Armen eines
Kaiserers zu wissen, vertrauter zu werden, da wurde
das Gespräch durch das Eintreten Katharina's unterbrochen.

„Ist heute noch kein Bote von Wien an mich
angelangt?"

Die Freifrau verneinte und lud die Blinde ein,
an ihrer Seite Platz zu nehmen.

Kaum ein Stündchen verging unter gleichgültigen
Gesprächen, als Heinrich Blumtaler eintrat.

Der Vater Amelei's richtete ernste, aber nicht
ungünstige Blicke auf ihn.

Juliane behielt den Greis im Auge, um jedem
etwaigen Ausbruche entgegen zu treten.

Das Antlitz des jungen Mannes kündete Trauer.

Katharina horchte gespannt, so wie gewöhnlich,

wenn Jemand in das Gemach trat, den sie an der ersten Rede erkennen wollte.

„Willkommen, Herr Blumtaler!" sprach die Freifrau den Gruß erwiedernd, „Ihr kommt heute unverhofft!"

„Die Ursache dessen, gnädige Frau! ist, daß ich von Wien komme; und da ich gerade noch einige Stunden erübrigte, so ließ ich mich den Umweg nicht gereuen, bevor ich in Neustadt einritt, Eichbüchl zu besuchen."

„Ihr war't wohl im Auftrage des Kaisers in Wien?" fragte Amelet's Vater nicht ohne Spott.

Heinrich entgegnete gelassen: „Ihr irrt, edler Herr! Ich bin vom Herzoge dahin beschieden worden!" — Er seufzte tief auf.

„Vom Herzoge?" rief Katharina, sich von ihrem Sitze erhebend.

„In welcher Angelegenheit?" setzte die Freiin hinzu.

„Dies konnte mir der Fürst nimmer mittheilen."

Alle sahen den jungen Mann befremdet an.

„Herzog Albrecht," fuhr er ernst fort, „ist — todt!"

„Todt?" riefen die Anwesenden erschreckt, wie aus einem Munde.

„Todt, heiliger Himmel, todt!" schrie Katharina zitternd, und dann, wie außer sich, setzte sie hinzu: „Und mein Sohn — wo bleibt mein Sohn?"

Den jungen Mann durchbebte es wie gäher

Schreck; dieser Ausruf und die Angabe, daß er vom
Herzoge eine für seine Zukunft wichtige Nachricht
hatte erfahren sollen, weckten tausend Gedanken in
seiner Seele.

„Ihr erwartet Euern Sohn?" fragte er in einer
mächtigen Aufregung.

„Ja — vom Herzoge gesendet soll er der Ueberbringer eines Ringes sein!"

„Eines Ringes?!" rief Heinrich, und die auffallende Art, wie ihm der Herzog jenen Ring aufge-
drungen, bestätigte seine erwachte Vermuthung noch
mehr, er stotterte: „Ich erhielt — von dem — Sterbenden — diesen Ring." —

Katharina haschte darnach, und mächtig erzitternd,
entsank das Zeichen ihren Fingern.

„Du bist's — Heinrich — mein Sohn!" —
hauchte sie mühsam hervor.

„Ich — Euer Sohn?!" rief der Jüngling auf-
schreiend — „Mutter, — meine theure Mutter!"
Sie sanken sich in die Arme.

Seufzer — einzelne Ausrufungen, durch Schluch-
zen erstickte Worte — Liebkosungen — wechselten rasch
untereinander.

„Mein Gott im Himmel!" rief Katharina, „nur
einen Augenblick lang schenk' mir das Licht meiner

Augen wieder, daß ich ihn sehen und mit sein Bild
für immer in die Seele pressen kann!"

Während dieser ergreifenden Scene standen Juliane und Hanns Kling gerührt da, Thränen
perlten über die Wangen der Freifrau; sie neigte sich
dem Greise zu, und lispelte: „Nicht wahr, Väterchen!
Ihr werdet die Freude des heutigen Abends durch
kein hartes Wort stören?"

Der Urschendorfer drückte freundlich ihre Hand.

Der Abend war seit langer Zeit einer der selig-
sten auf Eichbüchl!

— — — — — In dem Leben Kaiser Fried-
rich des Vierten tritt der Umstand bemerkenswerth
hervor, daß er seine Gegner, und er hatte deren eine
bedeutende Anzahl, nicht besiegt, dagegen alle über-
lebt hat.

Der Zeitpunkt, die Regierung des ganzen Oesterreicher Landes ruhig anzutreten, welche ihm, als dem
Aeltesten der Familie, schon nach dem Tode Ladislaus
gebührt hätte, war gekommen.

Friedrich war nun Alleinherr, und forderte die
Wiener auf, ihn als ihren Landesfürsten anzuerkennen.
Erst nachdem er ihnen die Versicherung ertheilt hatte,
daß alle Beleidigungen, deren sie sich gegen ihn
schuldig gemacht, verziehen seien, willigten sie in sein
Begehren. Abgeordnete gingen nach Neustadt, um

im Namen Aller des Kaisers Huld und Gnade wie-
der zu erflehen, was Friedrich auch gern bewilligte.
Solcher Art wurde das Mißtrauen zwischen Fürst
und Unterthan gehoben, denn der Kaiser verhieß den
Wienern wieder ihre Privilegien, so wie alle seine
Vorgänger, in voller Kraft zu erhalten.

Die früher widerrechtlich vertriebenen Bürger
wurden zurückberufen und erhielten ihre verlorenen
Güter wieder — die über die Wiener verhängte Reichs-
acht ward aufgehoben — der päpstliche Legat sprach
sie vom Kirchenbanne frei. — Alles gewann in der
Stadt ein friedliches, heiteres Aussehen, auf den
Plätzen und Straßen, in den Gäßchen und
vor den Häusern wurden Freudenfeuer angezündet,
allgemeines Frohlocken herrschte in der ganzen Stadt,
man beging einen öffentlichen Jubeltag, und vergaß
nicht, ein feierliches Dankfest im Dome zu St. Stefan zu veranstalten.

In der Freude seines Herzens über die endlich
hergestellte Ruhe vergaß der Kaiser auch diejenigen Getreuen nicht, welche ihm in der Zeit der Noth so hel-
denmüthig beigestanden waren.

Die blinde Katharina wurde mit ihrem Bruder Gamrit von Fronau ausgesöhnt.

Heinrich Blumtaler, mit einigen Gütern be-
lehnt, erhielt den Edelnamen „von Wildenberg."

Das Geheimniß seiner Geburt wurde auch nach dem Tode des Herzogs bewahrt, und nur der Kaiser war durch Katharina davon in Kenntniß gesetzt worden.

Der alte Kling weigerte sich nicht mehr lange, in ein Ehebündniß der jungen Leute zu willigen.

Die Trauung ging in der Georgskapelle der Wiener Neustädter Burg vor sich.

Johanna begleitete Amelei, und Michel Beheim seinen Freund zum Altare.

Katharina und Juliane, Hanns Kling und Pupelli waren Zeugen. Außer diesen hatten sich noch viele Herren und Frauen vom kaiserlichen Hofe eingefunden.

Das Vermählungsfest wurde durch die Gegenwart des Kaisers und der Kaiserin verherrlicht, und der Urschenborfer, weit entfernt, sich durch all' diese Gnade dem Kaiser zuzuwenden, blieb starrsinnig bei seinem Entschlusse, und war froh, sobald als möglich mit seinen Kindern die Neustadt in den Rücken zu bekommen.

— — — — Auch in Wien vereinigte der Tod des Herzogs einige glückliche Herzen von uns bekannten Personen.

Jakob Mainharts Dorothea wurde mit Herrmann Preifing vermählt. Auch ihn versetzte die Dankbarkeit des Kaisers in eine sorglose Lage, und

her, wie ohnedem erwähnt, umgewandelte Meister
willigte ohne Bedenken in das Glück der Liebenden.

Gilg Stößl und Evchen Weiz wurden auch
ein Paar, und zogen nach Nußdorf, wo Gilg ein
Metzgergewerbe an sich brachte, und zu seinem Evchen
fleißig ins Gäu ging.

Herr Thomas Siebenbürger, der kaiserlich
gesinnte Meister der hohen Schule zu Wien, war über
das Glück seines Herrmanns nicht wenig erfreut,
und hatte sich vorgenommen, das junge Ehepaar beim
Hochzeitsmahle mit einer herrlichen Anrede zu erfreuen.
Als hierzu der günstige Augenblick gekommen war, —
denn der reiche Mainhart ließ sich bei dieser Gelegenheit nicht spotten, und die Kosten sollen, unserm Chro-
nisten zufolge, ein Schock Ochsen und vielleicht auch
noch einige Kälber drüber aufgewogen haben, — da erhob sich der Meister und sprach: „Meine Lieben —
heute ist der Tag — verbunden — für immer — viel
Glück — heute — morgen — und so fort — das
ganze Jahr — Tag — und Nacht — Vivat!"

Erschöpft von der lange Rede ließ er sich wieder
nieder, und die Gesellschaft brach in einen frohen
Jubel aus. — — — —

Ueber das Glück unserer Hauptpersonen beruhigt,
werfen wir noch einen Blick in die — Geschichte.

Buch v. den Wienern. III.   20

Die gänzliche Ruhe in Wien war hergestellt, der Kaiser hatte Frieden, aber das Land nicht.

Noch immer wucherten die Parteien der Heuch- ler und Brüder unter den Edlen und Landherren fort; die Letzteren führten aus ihren Bergnestern einen Hinterhaltskrieg, der bei der Verwilderung der Ge- müther durch die langjährigen Unruhen oft zu den hartnäckigsten Kämpfen Anlaß gab.

Diese Kriege mit den abgefallenen Söldnern, die Kämpfe des Kaisers gegen den Buchheim und Jörg von Stein, der gleichzeitige Einfall der Böh- men in Oesterreich, und endlich Baumkirchers so interessante Persönlichkeit, alle diese geschichtlich merkwürdigen Daten zusammen genommen, werden den historischen Hintergrund zu einem weiteren romantischen Gemälde bilden, welches sich dem vorliegenden eng anschließen, und mit unseren bereits erschienenen Ro- manen: Wien vor 400 Jahren, und der Ge- zeichnete, einen Zeitraum von beinahe achtzig Jahren aus der vaterländischen Geschichte umfassen wird.

Epilog.

Es ist an einem Sonntage.

Der Ostermonat des Jahres 1465 ist bis zum achtundzwanzigsten Tage vorgerückt. Michel Beheim sitzt am Tische am offenen Fenster.

Die Frühlingssonne gießt warme Strahlen ins Gemach, dessen Helle und Frische auf den einsamen Bewohner ganz erquickend wirken.

Vor dem Meistersänger liegen die Blätter seines „Wienerbuches" aufgeschlagen, er betrachtet sie mit Wehmuth und spricht leise vor sich hin:

„So ist also das Werk vollendet. Die letzten Zeilen sind geschrieben. Und wie ich es begonnen, mit derselben Gesinnung habe ich es geschlossen: treu meinem Vorsatze, und beharrlich in der Ausführung!

„Drei Jahre — ja fast drei ganze Jahre meines Lebens hat es mich gekostet; und welche Drang-

sale, welche Gefahren, welche Sorgen waren in dieser Zeit über mich hereingebrochen, und ich, ich habe
sie besiegt, habe Alles überwältiget, und bin glücklich
ans Ende gekommen. Ja, ich bin am Ende! Das
bis jetzt letzte, das geliebteste Kind meiner Muse ist
glücklich geborgen, ich habe es geschützt, so wie ich
mein Leben vor den Dolchen der Feinde bewahrte.
Der Himmel ließ ihre listigen Anschläge zu nichte
werden, und so wenig als der auf meinen Kopf ge-
setzte Preis die Vollendung des Wienerbuches ver-
hinderte, so wenig konnte mich das mir persönlich
angebotene Geld zur Auslieferung meines Gedichtes
vermögen. Mein Buch ist geschrieben, und ich lebe
noch! Die Frevler sind gezüchtiget, den Verführ-
ten ist vergeben, das Recht hat gesiegt, und die
Wahrheit besteht!

„So geh' denn hin, mein Sang, in alle Welt!
Ertöne überall, wo man die liebe deutsche Sprache
spricht; ertöne jetzt und in künftigen Zeiten, denn
aus warmer Brust bist du gequollen, und ein deut-
scher Mann hat dich gesungen!

„O, ich weiß, es werden Viele kommen, die
dich mißachten, und deinem Sänger kein günstig
Andenken bewahren werden; du zählst der Mängel
zu viele, als daß du diesem allgemeinen Loose der

Kunstgebilde entgehen solltest; es könnten vielleicht sogar Manche kommen, die dich und mich verdammen werden, aber deßhalb gehe doch hin in alle Welt und in alle Zeiten; ich habe den Muth gehabt, dich zu singen, ich hab' auch den Muth, den Gedanken zu ertragen, meinen Namen von Manchem gebrandmarkt zu sehen. Und wenn unter all' den Tausenden, die dich einst lesen werden, nur Einer ist, der verkünden wird, daß Mich'el Beheim seinem Kaiser treu geblieben, so hat er deinen und meinen Werth erkannt, und ich bin gerechtfertiget.

„Dir aber, Gott! mein Gott! mein Vater, der Du bist im Himmel und auf Erden; der Du Deinen Namen so liebevoll gemacht hast, daß er stets geheiliget wird, dessen Reich vom Anbeginn der Welt ist und bis an's Ende aller Zeiten bleiben wird; Dir, mein Gott! mit Deinem heiligen Willen, der Du alle Wesen erhältst, ernährst, und ihnen ein gütiger Schöpfer und ein gnädiger Richter bist; Dir, mein Herr im Himmel! danke ich, daß Du mich nicht untergehen ließest in der Versuchung, daß Du mich erlöset von so vielen Uebeln und erhalten in so vielen Gefahren; Dir, mein barmherziger Gott! danke ich für den Funken Geist, den Du gesenkt in mein Gehirn, für den Willen und die Kraft, die Du gehaucht in meine Seele; Du hast Wahrheit und

Recht noch immer beschützt; Du haft auch mich, den Sänger für Wahrheit und Recht, nicht verlaffen!"

Michel Beheim lag betend auf den Knieen, sein Antlitz war verklärt, seine Rechte war gen den Himmel geftreckt, in seiner Linken aber hielt er in Demuth, gleichsam als Dankopfer dem Himmel dargelegt, sein Gedicht:

Das Buch von den Wienern.

Druck:
Customized Business Services GmbH
im Auftrag der KNV-Gruppe
Ferdinand-Jühlke-Str. 7
99095 Erfurt